VOLUME 122

INSPIRATIONAL PUZZLES

FOR WOMEN

Bendon Publishing International, Inc.

BENDON
Publishing International, Inc.

© 2013
Ashland, OH 44805
www.bendonpub.com

Locate all the words below in the word search.
They may be across, down or diagonally in any direction.
Then use the remaining letters to form an inspirational word or phrase.

Puzzle 9

```
Y C H U R C H O I R D R A G O N G D F
T S O L D I E R S M L E P A H C N I P
L N U M E R A L S S A I O T T N I M R
A I D E A L E F L U N G S H O O T L S
S E L I M S O I F S O H E E O I N Y R
L H L A D R V G R A I T N R T T A E E
E S T E T E N C G R T S E V L O W T T
E I G Y D I N O I T A I C E R P P A N
V D R A M A N G R S C B S O A A I N I
E E C O M M U N I C A T I O N S I E W
T S C V A L U E S S V B Y N E S E S R
O Y A C H T S T H V E A O S E E E L E
E S Y H D E T A C O L Y U P D D N N H
D E R A C E S T E E P I N M S I O U T
Y L N E D D U S R Y L H G U O R D M O
N B E A B I D E P T H N E H H O D B M
I A T E E B R L A R O M R T T O E E A
H C A E B C O F I N A N C E S T D R T
S D E H C A O R P P A Y I N G S S S O
```

Affair	Depth	Image	Paying	Signed	Wolves
Annoy	Devils	Irish	Pinch	Sleeve	Yachts
Appreciation	Didn't	Latin	Potion	Smile	Younger
Approached	Dimly	Light	Races	Soldiers	
Barrier	Dragon	Lived	Rails	Spray	
Basic	Drama	Located	Raise	Steep	
Beach	Easel	Lungs	Relay	Suddenly	
Cables	Eaten	Miles	Rides	Throne	
Cared	Edged	Moral	Robbers	Thumps	
Cells	Eight	Mother	Roots	Tomato	
Chapel	Estate	Myths	Roughly	Tooth	
Chase	Finance	Needs	Salty	Tummy	
Choir	Flung	Nodded	Scene	Vacation	
Church	Forty	Numbers	Senate	Values	
Coming	Friday	Numerals	Shiny	Vetoed	
mmunications	Gather	Ocean	Shoot	Wanting	
Consent	Ideal	Passed	Sides	Winters	

```
Y  K  C  O  R  S  Y  A  T  S  H  O  R  T  E  N  O  Y  R
E  L  S  C  A  S  D  E  G  R  E  M  E  P  W  I  R  E  S
S  E  T  L  E  R  U  N  N  I  N  G  F  R  T  A  L  N  S
E  S  T  N  W  S  T  N  I  O  P  O  E  A  N  E  A  T  S
C  A  S  H  E  A  C  I  D  S  M  W  R  I  A  P  E  R  P
I  E  R  Y  O  U  R  S  N  A  A  D  D  S  S  E  N  I  L
U  P  E  R  I  U  Q  C  A  I  Y  R  E  E  P  E  F  E  I
J  I  P  Y  O  U  R  E  T  J  O  I  N  S  P  I  G  S  T
S  R  P  T  A  L  E  S  S  A  M  S  J  O  K  I  N  G  N
S  T  U  P  I  D  L  Y  R  N  L  E  L  R  S  S  I  S  A
N  S  L  M  O  J  A  T  E  E  O  S  T  A  R  W  R  I  N
M  E  L  E  A  L  X  R  D  V  T  C  S  E  N  D  E  D  N
I  W  S  P  B  E  A  G  N  A  N  C  C  E  R  Y  B  A  Y
L  E  A  T  H  H  E  R  U  R  E  I  R  U  L  E  M  T  R
L  N  R  S  S  L  C  N  P  B  V  O  E  R  P  U  E  E  O
S  E  A  O  G  H  P  A  R  G  A  R  A  P  H  I  M  V  B
Y  L  B  A  N  O  S  A  E  R  H  E  M  D  C  O  E  L  E
C  Y  E  A  U  G  R  A  S  P  Y  H  S  O  V  N  R  D  S
S  F  F  I  L  C  I  F  S  H  U  T  S  E  S  T  I  N  G
```

Acids	Extraordinary	Mills	Refer	Slope	Yearly
Acquire	Frogs	Money	Relax	Snaps	You're
Arose	Grasp	Mules	Release	Society	Yours
Atlas	Haven't	Nanny	Remembering	Spins	
Belts	Heroic	Nests	Remove	Split	
Brave	Hours	Newest	Repair	Stays	
Clash	Human	Occupied	Rises	Steep	
Cliffs	Ignore	Ovens	Roars	Sting	
Consequently	Japan	Paragraph	Robes	Stripe	
Crawls	Joins	Peach	Rocky	Stupidly	
Desks	Joking	Points	Roses	Sunday	
Eagle	Juices	Polar	Running	Swear	
Easel	Label	Praises	Screams	Tales	
Emerged	Ledge	Press	Sense	Understanding	
Empty	Lines	Pulls	Share	Upper	
Ended	Lungs	Ratio	Shorten	Waits	
Entries	Meter	Reasonably	Shuts	Wires	

```
D O C T O R S W I F T Y K C I R T P A
I D U S T Y T L A Y O L L A H C R A M
S T I T C H E D E S I A R S V O E C E
K S T E P S P O S G S Y U E S N V K L
S G E A W S I A H S E O D S T S O I P
E N N L O C A T I K V D U W O T L N M
A I A S R A E F N R T S R N O R U G E
R W L N L R I O E G E I M A D U T S T
C O P O D C D N N L S D B E F C I T E
H L N I A E G I V T Y P R R T O R R
E G A T C T S H S I R I T P O I N A S
D S I C A I R O B O T G E S D N A N R
O O T U A D C I S M A E T S A G R G E
N A P R O N P L P P L O D T Y O Y E V
E V Y T A O S O E S O N R S O O T L I
W A G S U P E R L H U S P E A R L Y R
E G E N I U S S S E D D U T C H C K D
S U C I S O L A T I O N D E X I M H S
T E I P N G N I T A L U T A R G N O C
```

Along	Genius	Noisy	Searched	Tests
Aloud	Glowing	Orbit	Shine	Tired
Apron	Icicle	Ounce	Shoots	Toast
Cases	Instructions	Packing	Sleep	Today
Classification	Invited	Paired	Sound	Torch
Congratulating	Irish	Parts	Spear	Traps
Constructing	Isolation	Pearl	Steal	Tricky
Costs	Items	Peels	Steam	Trips
Disks	Kings	Person	Steps	Utter
Doctors	Lighter	Pigeons	Stitched	Vague
Donkey	Lover	Planet	Stood	Wings
Draft	Loyalty	Raise	Strangely	World
Driver	March	Raising	Strap	Wrist
Dusty	Meter	Revolutionary	Super	Yolks
Dutch	Mixed	Rivers	Swift	
Early	Nervous	Robot	Tadpole	
Egyptian	Newest	Safely	Teams	
Fears	Nicer	Scarce	Temple	

```
S T R A Y B T R O L L Y W I S H E D S
Y T I N U U C O R R E S P O N D I N G
B K D C I N O R T C E L E M I T D E B
L S E I R N T Y N I N T H T E S A T Y
A L T X E Y N I A I M N C X R A M X A
S E A R P V S E E R C I P D N E P E D
T N U A L E R T R A R E L Y E B E D I
E N Q Y E A R E N T R A S A S E N E R
D A E S H S T I S I V R I T C N P S F
A H D V I C T I M L A V A N H O I S D
H C A W I L D E R E W O P G D E V A W
S H D T N G N X E K N S P K I I I R P
S A R E W T A I G P O T C E K C A R C
T L U D A I T T M M N O I D R A W A I
S K M L S S S O R N P B N L A M B S
I O S E R I T T U K E S E E G E I M A
X S L I A R H B N U R S E S T B I E B
E I H V A S E S T P L A N E L O S H S
T T S P E E K R E Q U I R E M E N T S
```

Adequate	Corresponding	Given	Opera	Stand	Wished
Adult	Crack	Helper	Pains	Steep	X-rays
Alert	Dampen	India	Parts	Stops	
Aren't	Depend	Inner	Plane	Stray	
Array	District	Keeps	Powered	Their	
Auntie	Drums	Knock	Rails	Thirst	
Award	Electronic	Lambs	Rarely	Tiles	
Basic	Embarrassed	Lasted	Reins	Tires	
Beast	Equated	Limit	Requirements	Trolly	
Bedtime	Exists	Meter	Serve	Twist	
Bible	Exits	Moths	Shade	Unity	
Blast	Experimental	Mount	Sheds	Vases	
Bunny	Experimenting	Naval	Shield	Victim	
Burnt	Extend	Nicest	Since	Visits	
Chalk	Friday	Ninth	Solve	Vocal	
Channels	Geese	Notebook	Speed	Waved	
Cigar	Germs	Nurses	Spots	Wilder	

Puzzle 13

```
H E A R D M S E I T I N U T R O P P O
T I N D E E D R I V E S R E G D A B I
R N Y T S A N S E I T N U S R I G H T
O R E A C T E D T T P R E T N E R I S
F R S D R E M U S S A L R S I S E M K
I N T C I N S Y M B O L E D N R E A C
F C N L P V S B Y P C P S A E E D G A
T T I I T E E N L A D A P T S V L I T
H Y A M I C N R R I B B O N S U R N S
G J P B O A I E O S N E N D E P R E G
N U S E N C S R O N R D S S E Z I E S
I G I R S T U E K O M S I O S R T L E
P G R B C U B I C I O Y B A R M I K S
L L R E D S K S U T M E I O N A A T O
E E R E T N U O C I E B L U R W N L H
H R N T S S P I H S N O I T A L E R C
H S A L C A I S P O T S T E A L V A T
E A S E L D E S T P Y S Y R U P E E I
P H Y S I C S T R E T C H E S T R P D
```

Acted	Comic	Heard	Outer	Seize	Tusks
Adapts	Counter	Helping	Pains	Served	Types
Agreed	Cubic	Herbs	Paints	Sister	Unties
Arose	Cuckoo	Imagine	Pearl	Slips	Verse
Assume	Dense	Indeed	Physics	Smoke	
Awake	Descriptions	Indian	Pleasure	Spain	
Badgers	Ditch	Jugglers	Poles	Spots	
Beetles	Diver	Later	Positions	Stack	
Blind	Drives	Lorries	Posts	Steal	
Businessmen	Easel	Meter	Rails	Stops	
Cactus	Eaten	Moment	React	Stretches	
Cares	Eldest	Nanny	Relationships	Symbol	
Chest	Enter	Nasty	Responsibility	Syrup	
Chose	Evident	Never	Ribbon	Tease	
Clams	Fifth	Nines	Right	Tests	
Clash	Forth	Obeys	Score	Tired	
Climber	Glues	Opportunities	Seems	Trail	

```
V S N A E M O T O R S G R A D U A L C
A R R I V E S A R O S E S N A K E F Y
R E E H S E H S A M C A E F H V U R S
N A P N H H E T L U A R E C I N A E A
I F L C D T A E A S T S A T N T T Q E
S R A O O L V S O T G H A Y H O T U R
H I C N P E E U N N A N C G O S I E G
L C E V L S N S G T S S I A I N C N D
I A S E I D S N S I E L A W Y E R T O
N N U R S K I L L P S T T L S P E L L
E O F S S S I K A D N H H S A R O Y L
S U I A U A S R E E E Y I S A V E S Y
E T M T N D A H M L D W G C E T A D E
R D T I C T S I P A S N H R I D I N G
I O P O I E R S L C I O E P E A T U A
S O Y N P E L O O K S C S I G N S O T
E R G S P E U E Y E D I T O R D E R S
D S E X P D N T S D I S P L A Y L M E
B E E T L E S S L O O C I B U C F R Y
```

African	Dolly	Heaven	Mustn't	Saves	Trend
Aloud	Editor	Helps	Nails	Selection	Twist
Arose	Egypt	Highest	Native	Separating	Using
Arrives	Employ	Infant	Naval	Sheds	Usual
Ashes	Endless	Itself	Nicer	Sheer	Varnish
Attic	Enemy	Kings	Notes	Signs	Yacht
Beetles	Energy	Lacked	Onion	Silks	
Chest	Experiment	Lawyer	Opens	Skill	
Chose	Fitted	Level	Orders	Slept	
Conversations	Frequently	Light	Outdoors	Snake	
Cools	Funny	Lines	Polar	Sounds	
Crayon	Gases	Looks	Recess	Spell	
Cubic	Gears	Lover	Replaces	Spite	
Deals	Gradual	Masks	Riding	Stage	
Dense	Greasy	Meals	Rises	Swings	
Desire	Hadn't	Means	Round	Swiss	
Display	Hasn't	Motors	Saucer	Tastes	

Puzzle 15

```
T T O U C H E D R O W N S R A E G E H
N C G N I O D E T A H H A C O L L A R
E B E B A C O N G R A T U L A T I N G
E U O F T L O V E R L I S D I L O S L
R S C I N T E R P R E T A T I O N M A
C I N O L I T I M A N A G E R I V I S
S N D E R E S U S T A L E S P Y O L S
D E L D E R D N O U B Y Y S T A T E D
N S D W E D I N O P R P S L A V E S I
I S S I Y N E D A O U E A E K U S L N
W M E T R I G D O S K S T P E C C A I
M A R C H G B L I R T E P A E R I E N
H N U H D H R S A U D Y R R I R H H G
C I O E E T A L O N G E A F A N S T T
H C D S L B I L U L D G R E G Y P T I
I E O D L E N O O N G D R I E W E H C
L S L E E P S R U E E R E H T O N R K
L T N P M N R H D O O R S T O U T E L
Y D A I S Y T S O R T S T O R E D W E
```

Accept	Drowns	Lorry	Ragged	Solids	Tickle
Along	Egypt	Lover	Rains	Sorts	Tired
Arrest	Elder	Manager	Reign	Sound	Title
Bacon	England	March	Retain	Spent	Touched
Basis	Error	Motor	Revolt	Spins	Urban
Blend	Gears	Muddy	Ridden	Spray	Votes
Boiled	Glass	Nasty	Rides	Stated	Weird
Brain	Guide	Needed	Rolls	Stored	Whale
Businessman	Hated	Nicest	Salty	Stout	Windscreen
Chill	Heals	Night	Sauce	Sweet	Witches
Collar	Helps	No-one	Sausage	Tales	
Congratulating	Hidden	Odour	Sharp	There	
Corridor	Hilly	Order	Slaves	Thickly	
Daisy	Infect	Other	Sleeps	Thief	
Dining	Interpretation	Paper	Smelled	Threes	
Doing	Italy	Peels	Smiles	Threw	
Doors	Leisure	Prayer	Snooker	Thunder	

Puzzle 16

```
D A U T O M A T I C A L L Y I N G Y N
S E A T S T P R E K C I H T S I S A O
S C L B F M A S M O O R H T A B M D I
G N I A S T R O N O M E R S N O S I S
N A R N E N T A R I I A H A W R S R Y
I D P D D H O G S E C E M W A O E F E
E E A S I E A I U I S E H H D T N L R
B D Y S S N E D T E D T R I E I D S O
H N F L A M E D S A S E L L D D A E R
G E W A E R D E I R R T H E U E S C R
N T H N O E H R X O A T A P S N S N E
I X O T G T R I E B A L S N M S L U T
M E S D H H P F O B S R E U D E S O R
M P E G A G G U L E R V R L L S A N U
I L I R N U T E N D O A S O I L S N S
K N B O E A S A S T O O B O W O I A T
S E M M U L T I P L I C A T I O N P E
Z A M A Z E M E N T R E A T N T L S A
E S L L E M S E S U O H T H G I L S M
```

About	Boots	Hides	Oasis	Stand
Amazement	Carts	Ideals	Organ	Steam
Among	Comic	Illustrations	Ovens	Stored
Announce	Dance	Indeed	Puddle	Tables
Apart	Dense	Issue	Restless	Terror
April	Disarms	Laughter	Robbed	These
Arrow	Draft	Ledge	Robin	Thicker
Ashes	Edged	Lighthouses	Rooms	Tools
Aside	Editor	Lions	Sadness	Treat
Astronomers	Exist	Luggage	Seats	Trust
Athlete	Extended	Lying	Senate	Union
Automatically	Fired	Meant	Skimming	Untie
Awhile	Flame	Multiplication	Slant	Waded
Bands	Freely	Named	Slight	Whose
Barber	Friday	Nicer	Smells	Woman
Bathroom	Guest	Night	Snows	Zebra
Beings	Healed	Noisy	Soils	

```
B E V E R Y T H I N G A T E S H E D S
Y G R E N E D D I H S T S E T A N E S
B P B C R A Z Y W I P E D C Y E A R S
L A I O B E Y S R L D E T S E V N I E
E S L N Y T B U I L T D D U K N I H T
S T L S G N I H T S N M E L O S E R S
S E I T I L I B I S N O P S E R A C W
I O O I M E B L N T Y P P R A Y D M I
N P N T A Z U A G L L C I E P R V Y T
G S S U G A S S T U O F Z P O U E T C
T E R T E L E N S C N O A P R L R H H
Y M E I O B S E H I I H S U L S T S B
L O H O N E S G C F O A I E N D I A E
B C T N O F F N N F N N D V O N S N G
I T O D U A O A U I E G D E D E E N L
R U N D E V O R P D E I C N D L M O U
R O A S T O N Y M D A N G L E B E Y E
E N T R Y U N T I E I G L Y D A N S D
T R U N K R A F T S D I M M O T T O B
```

Advertisement	Doesn't	Image	Onion	Sheds	Yelled
Angle	Drops	Informed	Others	Since	Zipped
Annoys	Edged	Invested	Outcome	Solemn	
Another	Energy	Issue	Paste	Stony	
Based	Entry	Ledge	Pluses	Switch	
Billion	Erased	Lions	Poets	Table	
Blaze	Evenly	Listed	Proved	Terribly	
Blends	Everything	Loose	Punch	Tests	
Blessing	Favour	Loser	Purse	Things	
Bottom	Fires	Masks	Rafts	Think	
Built	Gates	Midst	Range	Tools	
Buses	Glued	Myths	Responsibilities	Trunk	
Cares	Hanging	Needed	Roast	Untie	
Comes	Happy	Nodded	Routes	Upper	
Constitution	Hidden	Noisy	Ruined	Wiped	
Crazy	Hills	Nylon	Scene	Writing	
Difficult	Hired	Obeys	Senate	Years	

```
M S C A R E L S G E T B A D G E I L P
I B O A A I R E T I R C I G A M E S R
S K I E D C G A N I N A N C R A F T O
C S L B L E C N T D X D H I P A N I C
E W E E L I Q O O S E I S T R I P E
L A D L E E T U M R A R Y R I S V L S
L T O T S E E N A P E E E K E R I A S
A C M S S T O U T L C B T C C I D E
N H E N O I T C E L E I T A T U T D D
E A S O N C V A O D B P S H T A L E S
O V M U L E S R E S R E T H G I F R D
U S E E I T T S S R C O M I C O D
S T A N D R P M B E O Y L E R E M T E
G R S T T O U L E F S P O T S U N S K
R U L E D U U E A T U O W R S D L T L
O H E A C B H A O R R W N I B O R E A
W A S A D L Y R Y N U E C H O K M A W
N A V A L E M S U R P R I S I N G L Y
S X I F E R P I L I N G E F F E C T A
```

Accomplishment	Craft	Irish	Music	Seats	Trouble
Adequate	Criteria	Israel	Named	Share	Until
Adopted	Directed	Ladder	Naval	Shirt	Vacuum
Almost	Distinct	Leaps	Noses	Skied	Veins
Badge	Domes	Lends	Panic	Spots	Walked
Beast	Effect	Lesson	Piling	Stand	Watch
Belts	Election	Loose	Power	Stare	Yard
Bible	Event	Lucky	Prefix	Steal	
Blunt	Exits	Magic	Processed	Stops	
Bulbs	Fatter	Measles	Rails	Stored	
Cases	Fighters	Merely	Raise	Storm	
Cheap	Forth	Metre	Recipe	Stout	
Clear	Games	Might	Robin	Stripe	
Clown	Grown	Miscellaneous	Ruled	Surprisingly	
Coiled	Hurts	Model	Rural	Syrup	
College	Ignore	Moose	Sadly	Tales	
Comic	Indirect	Mules	Scare	Trolleys	

Puzzle 19

```
A N O T H E R E S R E H T O S A N D S
E L D E R L Y S T H G I R P U H N H O
M V G R A I N O P E R A T E S T I C K
E A I S W O H S U E A E C I R P P N R
R B Y D R U T S S V L O S I N G S U Y
G E P O E T I C T H E L K N A N C L T
E A P P R O V E D Y A N P I O C P S B
D N E R O N G I G R A F N I O P E S P
U S A W E L E R E R E S T N A I S E L
R A N C H S A V H U W C C P T N W E U
C E U P I N E S T H U E E R I A O S R
R A T Y T S A N E R N R E S K D L A A
S L A V A N R E T T A P M E S E S W L
L O E P R O L S R A O C S N G M A S S
E N A E X R N A A R T V E U D R U G S
A E G A M I T H P E O I A D D A I S Y
D A L U B I L P S V H G V S T O R E D
E E E O O S R E C I P E N E V E L E E
R S R N V E R S E R A C S R E N T E D
```

Alone	Eleven	Nasty	Properties	Shiny	Votes
Another	Emerged	Naval	Ranch	Shows	Wakes
Apply	Gains	Occur	Recess	Shrank	Wheel
Approved	Gauge	Operates	Recipe	Sings	You've
Armed	Grain	Others	Relax	Slows	
Award	Grant	Output	Rented	Spell	
Beans	Here's	Owner	Representative	Stick	
Cares	Hurry	Paper	Response	Stored	
Concentration	Ignore	Pattern	Rights	Sturdy	
Crude	Image	Peanut	River	There	
Daisy	Instructions	Phase	Robin	Tires	
Dared	Irons	Photo	Sands	Trace	
Drugs	Large	Piano	Sauce	Traps	
Dunes	Leader	Pines	Scare	T-shirt	
Eager	Losing	Plurals	Seesaws	Upright	
Eagle	Lunch	Poetic	Several	Verse	
Elderly	Mayor	Price	Shaft	Video	

```
C R E S O O L C E N T R E A T Y P E S
R I C H T D I W F D E I L P P A H U H
O F N R C E B O N A I P C U S T O M I
P L A I N H R B F L U F F T N U L R D
S E H I U O A N G E L D E I N E D I E
H H C M M L R I E H T U N I O N S A S
E S O O C E Y A N X I E T Y G E R D C
V U U O D S D R U S P N N N L S O U R
R S N D T E I E M N O L U E A N T L I
E Y N N U S S T E C I L O A R E A T P
N X S A R C H I T E C T U R E Z R S T
N M C O O K E R R O R S Y L A I E S I
A L O U D T S E E E G N I Y R T G C O
M D R S S I N S R E L G N U J I I R N
U T E E T E V E I E W D L U O C R O S
S H S T V L S E V W S I N I L C F L N
I O I E I P Y G R E S I D E N C E I U
N N S T E E P I E C I N G O P E R A O
G R O W N U P P U B L I C N W S N S N
```

Adults	Courts	Heart	Noses	Seven
Aimed	Crops	Hides	Nouns	Shelf
Aloud	Custom	Holds	Ocean	Shoot
Amusing	Denied	Holes	Opera	Sitting
Angel	Descriptions	Humour	Paste	Spend
Anxiety	Desire	Icicle	Piano	Steep
Applied	Dishes	Jungle	Piecing	Stern
Architecture	Diver	Library	Plain	Sunny
Balcony	Doors	Linen	Public	Swiss
Centre	Errors	Loose	Rainbow	Their
Chains	Event	Manner	Refrigerators	Treaty
Chance	Excuses	Metre	Residence	Trying
Citizens	Exploration	Mostly	Resign	Types
Clung	Fluff	Mouse	Retires	Unions
Continuous	Geese	Nearly	Rifle	Unity
Cooker	Glare	Nerve	Sailor	Widow
Could	Grown-up	Ninth	Scores	Width

Puzzle 21

```
V I T A L Y L E V E L S S H E E T S P
E E W E C N A R T N E Y A W N S S S U
I S X I S L D E L B A N E C O V E R R
N D T T Z Y I S E V I L O V E R U O Y
S E I Y R A T I O H A U N T I N G I S
O C O L L A R S C L N H S W T R R R E
K A V E R E O D A T A C R I E D A R G
E D Y T G P E R E N H R E E L E Z A D
D E S A C T O R D O D T N U B R I W E
U S E M S C E S R I U S O O O E N A L
S E M I T A S D T O N C S L N W G M I
T H W X S U G A R S R A I T C S Y O A
Y T I O A D N B T M D S R C N N W N T
Y N N R L U I A S E R Y P Y O A I G E
O S S P T T T C K E I A S N L A R R D
U A E P A U S O A S E T Y N P E T G A
N W K A S S O N T B W S U S W O R S E
G H O S T R T H E X I T S O R A D A R
L I J F C S E E S S E N T I A L L Y B
```

Acids	Coral	Extraordinary	Lover	Shout	Tower
Actor	Could	Ghost	Nasty	Skate	Twist
Among	Cover	Grade	Noble	Solar	Untie
Answered	Cried	Grant	Olive	Spain	Veins
Approximately	Crooked	Grazing	Orbit	Start	Vital
Argue	Decades	Greens	Paste	Status	Walnut
Atlas	Detailed	Grows	Posts	Stays	Warrior
Bacon	Dusty	Guest	Prisoners	Stick	Wasn't
Barely	Eager	Hands	Radar	Stings	Weird
Bears	Edges	Haunting	Ratio	Style	Wires
Bread	Enabled	Italy	Reasons	Sugar	Wizard
Cabin	Encounter	Jokes	Route	Synonym	Worse
China	Entrance	Lasts	Sands	Syrup	Yawns
Chord	Entry	Lawns	Seats	Tarts	Young
Cloth	Errors	Ledge	Seems	These	You're
Coats	Essentially	Levels	Sheets	Tidal	
Collars	Exits	Lives	Shirt	Times	

Puzzle 22

```
G R K C I R T S U N D A Y S T R O N G
S T S I F S O T A L K S L I O P S S E
A P E N E V L F G V U S B S M I N E D
R T R D I A C A N O E I M L Y N A B N
R N L E R K S R I E A S E L L E K I U
O E T E A K S C N D T T S I L V E R O
W M V D N D S R R N N N S B U A U T B
A E K A E N S I U P O I A L F R G F S
S G R A O Y L A T I S T I C K Y R I T
S A E C E E R G T F R W O C T I A R R
U R N N S Z Y A N O O N O S E N N D O
R U S E Q I V L F L C N A S S G N E P
E O C C U R S M L L K T Y E N E Y R E
N C R K E P O A U O Y A S R A O O O R
E N U S E C I S P W D A I P S C I T A
A E B L N A I L S S H M O M E N T S T
R O T U S O B J E C T E A S E E O E E
E A T E N T W U T D E S S I M D L W D
R O A S T Y T S R I H T S N I A P S Y
```

Acted · Easel · Moment · Rafts · Soviet · Uncomfortable
Aimed · Eaten · Nails · Ranks · Spain · Unconscious
Aircraft · Eldest · Nearer · Report · Spelt · Upset
Allow · Encouragement · Necks · Roast · Spoil · Varying
Argue · Fists · Noise · Rocky · Spreads
Arrow · Follows · Object · Saves · Sticky
Assembly · Fries · Observation · Screw · Store
Assist · Fully · Occurs · Scrub · Strong
Assure · Goats · Operated · Several · Sundays
Aunts · Granny · Pains · Silver · Talks
Bills · Greece · Peels · Skins · Tasty
Bound · Indeed · Piled · Sleeps · Tease
Canoe · India · Ports · Smash · Thirsty
Chases · Italy · Press · Snake · Tribes
Conclusions · Knock · Prize · Sneak · Trick
Dolly · Mined · Process · Snows · Tuesdays
Drift · Missed · Queens · Snowy · Turning

Puzzle 23

```
E S A S S U M E N O O P S A E T S A T
F L U N G P G N I S U D S M O K E S B
A A A S S N O W Y N N E S L I O S Y O
R E B H P E A S C E S C R E A M E T T
M H E R W O N H T R L I D L P R R S H
S E E X K C O H S P E D D N N Y U U E
P S E A T I I N I I O E D E U A T R R
S F D T R R T E S R U N K I H O A H E
I O I S S A L E E O A I X M Y R T D
R R L E A S T B R T T B E N D S E E D
C W G V O O E I A I N A V D G A P G O
S A V L W R R S S R E A R I R E M L C
P R I E A H P N E I E T E S O N E U K
O D L N T E R O I N H E H C T U T E S
T S G N C A E P F G A Y T O O A S S T
S E I T E N T S I G H T A S M T L L A
L N S L O V N E E D S T E R A C S K Y
A G A I N S I R R M R O F T A L P U S
C A N T N A I G Y M E N E R G Y P S Y
```

Again	Erase	Hears	Postponing	Skied	Tents
Angel	Estate	Inside	Press	Smokes	Thrust
Aspects	Exhaust	Interpretation	Punch	Snowy	Towels
Assume	Extra	Learns	Range	Soils	Types
Bends	Farms	Least	Rates	Solid	Uneasy
Bothered	Feather	Means	Resist	Spoons	Using
Choir	Fiery	Meets	Responsible	Spots	Whale
Creek	Flung	Middle	Retiring	Stalk	
Crisps	Forwards	Motor	Round	Stays	
Decide	Gains	Needs	Rural	Steer	
Disco	Giant	Night	Rusty	Taken	
Docks	Given	Ninth	Scare	Talks	
Eager	Glide	Nurse	Scream	Taste	
Eight	Glues	Obviously	Senate	Tears	
Elves	Gypsy	Ocean	Sheep	Teaspoon	
Enemy	Hangs	Pages	Shock	Temperatures	
Energy	Heals	Platform	Sight	Tends	

```
A U N T S M G D E Z I S S U E O L G E
T O W N S U N S E T E O Y B R A E N V
O S O E E L C G L D S S M L I F A I I
M W U M M T N O I S I A R R P T S Y T
S E G N A I L S F T L T T E H U T T I
Y A H O N P W S T R A C O U G H R E S
L R T R R L O F E O E G M R A I A S N
R S A I D I R R D P R P R W T I T L E
E W D V I C R E S S Y E E H N S E S
G E D N R A A E M A T T P E E E T S S
A T N E R T N D C M L A R V R T R R Y
E E C I B I D C E T U O E A E E S E R
R I A A O O E E D T S S S M M D S U
N H K R E N Z S R S N E E E L P R U P
C E E X T R A A U N I O N S S O E O F
D H S C O M M U N I C A T I O N S R I
S L A O G S A D K B N S I N F E C T S
R E C E N T U R Y A R E N T H A U N T
G N U W S I L K S C A R G O L D E R S
```

Accent	Eagerly	Inner	Purse	Starts	Trouse
Agree	Editor	Insults	React	Steer	Tying
Amazed	Environment	Issue	Realise	Story	Union
Aren't	Erase	Least	Recent	Summer	Vases
Atoms	Events	Lifted	Representing	Sunset	Warni
Aunts	Extra	Loses	Rescue	Swear	Wear
Baked	Films	Multiplication	Seats	Swung	Wher
Bitten	Finest	Nails	Senior	Syrup	
Cabins	Fists	Names	Sensitive	Taste	
Cakes	Focus	Narrow	Settee	Tempo	
Cargo	Freed	Near-by	Seven	There	
Carts	Gather	Nicer	Sides	Thump	
Century	Genius	Older	Silks	Tiger	
Chair	Goals	Ought	Sized	Title	
Communications	Haunt	Peered	Smart	Towns	
Cough	Heroines	Pride	Snows	Tramp	
Drunk	Infects	Purple	Sports	Trial	

Puzzle 25

```
S  Q  U  I  R  T  E  N  C  Y  C  L  O  P  E  D  I  A  D
E  A  K  H  T  U  O  Y  A  W  N  S  B  V  T  E  D  L  E
L  S  N  H  S  U  R  C  C  I  S  S  U  E  M  T  V  U  D
I  T  U  S  E  S  D  W  O  R  C  L  L  T  S  A  N  N  D
P  U  R  R  E  S  E  R  V  E  L  B  O  N  I  S  A  A
U  N  T  A  A  S  N  I  R  G  S  E  S  I  O  L  N  R  D
P  S  E  M  C  L  O  S  E  S  R  W  S  N  I  T  O  A  J
D  W  S  Y  R  E  I  F  S  D  E  H  S  G  L  C  I  N  U
A  R  D  E  C  S  T  O  P  S  F  I  H  C  K  I  T  K  S
D  B  O  R  P  B  A  C  O  N  F  T  B  Y  A  C  A  S  T
D  E  O  H  I  O  V  S  N  R  O  E  M  O  C  N  I  A  E
Y  W  M  U  C  A  R  E  D  E  B  A  T  E  X  E  V  R  D
N  H  I  M  T  B  E  C  I  N  R  I  Y  E  S  E  E  A  B
C  O  N  Q  U  E  S  T  N  D  A  H  T  R  R  D  R  N  S
I  L  O  U  R  G  N  I  G  N  O  L  L  A  G  I  B  G  J
P  L  R  P  E  A  O  O  C  C  T  H  G  U  O  N  B  E  E
O  Y  M  E  S  N  C  N  F  R  I  E  N  D  S  G  A  L  L
T  O  A  D  S  L  A  U  Q  E  L  D  E  R  Y  T  F  O  L
S  I  L  K  S  H  T  R  O  F  F  E  R  I  N  G  S  S  Y
```

Abbreviations	Conquest	Gummed	Offering	Spots	Yawns
About	Conservation	Hadn't	Offers	Squirt	Youth
Added	Corresponding	Income	Orbit	Stops	
Adjusted	Crowds	Issue	Picture	Stuns	
Angel	Crown	Jelly	Piles	Tells	
Angry	Crush	Lands	Pupil	Toads	
Average	Daddy	Lions	Range	Tools	
Bacon	Debate	Lofty	Ranks	Topic	
Began	Detail	Longing	Reserve	Trace	
Boxer	Elder	Lunar	Rings	Trunk	
Brick	Encyclopedia	Marsh	Rocky	Union	
Bulbs	Equals	Minor	Ropes	Vanish	
Canvas	Fiery	Moods	Section	Vetoing	
Cared	Forth	Needing	Sheds	Wears	
Cares	Friend	Noble	Silks	Wells	
Chord	Gallon	Normal	Slight	White	
Closes	Grins	Nought	Spoon	Wholly	

```
B E L L S Y T A S K S E L B B I N H E
D L F A T Z G G A T H E R R W I D O W
D I E F B A U R M S Y A D A W O N S E
E A O E E R H T E A I L N K Z A H M A
M L N V D C U P D N T G E E C O R A L
A C R E A M T P E E H N S E S R N T
H G U A L E C D T L S E S S A L G U H
S S V L M A H E S L C S L D C A P F Y
A E K B I Y N A N N Y Y E I S E K A L
S S E L I T A G O H O R C R T P N C M
H R B E A V E R I B U R N E D P M T R
O U N O I T A R T S I N I M D A E U E
R P R D R A E H A S E V R E S S T R B
T H E R U D N E C R O T P Y G E H E B
T A E Z E E R F O M Y R S U P E R R U
L N M U L T I P L I C A T I O N O S R
S D A E H A A E R I M D A S X K W N S
O S F S T N A L P T H I R T E E N E T
A S K C O S T U M E H O T T E S T S R
```

Abruptly	Burst	Gather	Manufacturers	September	Three
Administration	Canoe	Glasses	Maple	Serves	Throat
Admire	Coral	Hands	Maths	Shoes	Thrown
Ahead	Costume	Heads	Movie	Short	Tiles
Angels	Crazy	Heard	Multiplication	Signal	Treasured
Appeals	Cream	Hired	Nanny	Signs	Wealthy
Ashamed	Cycle	Hottest	Nibbles	Socks	Widow
Avoid	Debts	Hutch	Nowadays	Sorts	
Beaver	Dozen	Ideal	Plants	Start	
Bells	Dressed	Irons	Prince	Stray	
Bench	Drugs	Knees	Purses	Style	
Bleed	Effect	Lakes	Radio	Super	
Brain	Egypt	Later	Rained	Talks	
Brakes	Endure	Laugh	Razor	Tarts	
Broke	Energy	Literary	Reptile	Tasks	
Bumps	Exist	Location	Rubber	Tests	
Burned	Freeze	Lofty	Scent	Thirteen	

```
U N E V E N O T S D E T A R A P E S R
R N G N I Y L T F I W S U I T S Y I E
U O C O N T R I B U T I O N D E Z T P
O I O E I U R M N L A S U S R S A E R
P T R A N N Y I C F C L T G I L R M A
A C A K P T G S B R O A E O E I C S I
V U L Y H I T C H A I R R R R V A A S
O R U S B S L L O R L E M S T E K R E
I T C V E R S E U S S I S I S D E R S
D S I R H E A N D P Y R S D E E S A O
E N T B I T G E M G E I T A T I U N L
D O R A R S M U N S V S T S N I A G A
T C A O M O P U D L R H S D E E F E T
R S P E E P L T R E U E E E V C R M H
U E I T I C K L E D S X H U N T I E I
S H D X M E N D S G E U U T I D D N R
T E S T E D G E D E R R C R O I A T S
L A C I T E B A H P L A G X Y M Y S T
R E S P O N S I B I L I T I E S S H Y
```

Against	Edged	Luxury	Relate	Swiftly
Alert	Excused	Lying	Responsibilities	Target
Alphabetical	Exist	Mends	Rests	Tested
Arrangements	Feeds	Mothers	Rolls	Thirsty
Avoided	Fluid	Murder	Ropes	Tickle
Cakes	Fridays	Myths	Rungs	Tribal
Chair	Going	Near-by	Sadness	Trunk
Clung	Greys	Nicest	Seeds	Trust
Construction	Guess	Orbit	Separated	Uneven
Contribution	Hence	Outer	Sledge	Untie
Coral	Index	Particular	Stair	Vapour
Crazy	Inform	Peeps	Stamp	Verse
Cries	Invent	Piled	Steer	Visit
Crisp	Irish	Poster	Stone	
Death	Issues	Praises	Store	
Devils	Items	Pumps	Suits	
Drier	Loses	Rapids	Survey	

Puzzle 28

```
P S L T P Y G E T A R T N E C N O C R
Y D D E T U T I T S B U S W R T C S A
E C A R G O F R A R T E R F A L L E N
N O I T A C I F I S S A L C L O O S G
N I N E S C N E S F P C M T O V C E E
O E C A K L F S D S L R N P S E K G L
U L T E C L A I M E D E S G D R S D S
T N I F R G N I K O M S N A K E S E T
S N E V O N T N R H O I L E D C K T E
I F Y R E S I M S E S R M H S I R I A
D O D R I H T I T S T W A A L V W V L
E R E S T S L R E S L A T C G R R N N
D T O L I P O R O A Y S M O K E I I A
N I T O M C P Y D F A T O M S S T L S
E E M O K P R I Z E D E S U M A I E K
T S C E U T T E R T T I M I L R N V S
T C D S N H O B B Y R R H Y M E G O E
A D V E N T U R E P L A Y G R O U N D
R E I N V E S T I G A T I O N I O N E
```

Accomplishment	Clocks	Irish	Oiled	Rooms	Utter
Acres	Concentrate	Italy	Olive	Safety	Wast
Adventure	Desks	Latin	Onion	Service	Wrap
playground	Dinner	Liked	Outside	Sings	Writi
Aimed	Edges	Likes	Ovens	Smoke	
Amused	Egypt	Limit	Pilot	Smoking	
Angels	Entry	Loops	Pools	Snakes	
Atoms	Eraser	Lover	Prism	Solar	
Attended	Fallen	Materials	Prize	Stamp	
Belts	Forties	Misery	Puffs	Steal	
Breast	Forts	Moist	Racks	Substituted	
Brief	Grace	Mostly	Range	Suppressing	
Canoe	Hobby	Nicer	Rests	Teddy	
Cards	Image	Nines	Revolt	Think	
Cargo	Infant	Novel	Rhyme	Third	
Claim	Investigation	O'clock	Rifle	Tidal	
Classification	Invited	Often	Rocked	Trick	

```
P A I N F U L S G C C O N C E P T G D
S T O N Y E S O N L O S E I R E S N E
N O L Y N E H B I I N F I A A O Y I S
S M T D P E U E P M G L L L R L S H A
B S S I A M R A A B R E A K N T L S R
U K P V P S C R C S A S B I O D H I E
L C Y Y E T O I S V T Y A D I R F F V
B U K D R N P N E S U M A A T A A L I
S R N D E E P G N I L L A F A O W E T
M T O I H M E D S Y A S S E C B E S A
E S W G T E R A E D T L P O I Y E S T
M I N N A S T E A S E L C L F S D E N
B S Y I R I S H E E P E N C I L S R E
E E W R A T L A N T I C F C S T N U S
R R N E T R B R B H E A R T S R A N E
S O U D I E L U G R E E K H A T I G R
E S B R E V O L C E X P I C L O L S P
R E S O L D O P M E T R K A C T E D E
F R O S T A D J U S T S S T L O V E R
```

Acted	Classification	Falling	Limbs	Representative	Trucks
Adjust	Climb	Feeds	Loser	Resist	T-shirt
Advertisements	Clover	Fishing	Mainly	Revolts	Verbs
Ahead	Cocoa	Friday	Members	Robot	Views
Alien	Coins	Frost	Myself	Rungs	Villain
Amuse	Concept	Giddy	Nosey	Selfish	Weeds
Atlantic	Congratulate	Greek	Nylon	Sense	
Atlas	Copper	Heart	Ordering	Series	
Atoms	Cross	Heavy	Painful	Sheep	
Bearing	Doubt	Inner	Paper	Snail	
Begins	Earth	Irish	Peace	Split	
Blood	Easel	Issue	Pencil	Stony	
Board	Ended	Known	Pipes	Struck	
Break	Erased	Lasts	Poetry	Tempo	
Bulbs	Escaping	Leave	Racks	Tests	
Bumpy	Essay	Lends	Rains	There	
Cells	Exercises	Lesser	Rather	Threes	

```
S T R A Y A S I D E Y S P L I T K C S
T H E H C A E T E D D Y S M A R T L Y
S E V Y E E H D S U A I E L A S O A L
I I E P L G S E S R E S L U P W A S L
T R N E I L R G A C R E T O S O S S A
R T N F C S A R P U S Y S H S R S I T
A A R A L R M U P T Y L A O D D I F N
P L R A I U U B N F O R C E N S S I E
E E E E F O E G E I K A N I A R T C M
D V L R E F L N N A T E M O S D N A H
S E E R T D I A C I S N A I L U I T S
E N G S I E S C V E T T O R V L M I I
R T A D M L N S V A D A E C S I D O L
A E N N E U L E M O N S R L A E D N P
C T T E N A N A C C E P T A P B G E M
S O P T D H S S U S P E C T P M U A O
W M I E O R I I R D I A H E K E E R C
D E P E N D A B L E R C T R O P S T C
D R G N I T I B Y Y M E N E C K S H A
```

Accept	Dependable	Lifetime	Reeds	Sword
Accomplishment	Depth	Mails	Remote	Tallest
Alert	Disco	Marshes	Ripen	Teach
Artists	Earth	Mentally	Sands	Teddy
Aside	Easily	Minds	Scares	Temple
Asleep	Edged	Music	Scene	Tends
Assist	Elegant	Naval	Separating	Their
Bacon	Enemy	Nearly	Seven	Traffic
Beast	Event	Necks	Shark	Train
Biting	Fight	Never	Slows	Trees
Cared	Force	Panel	Smart	Untied
Castle	Fours	Passed	Snail	Urged
Classification	Guess	Peace	Solid	Video
Continually	Handsome	Pedals	Split	Words
Creek	Hauled	Peels	Sport	
Crude	Influenced	Pulse	Stray	
Curly	Later	Purse	Suspect	
Depart	Lemons	Ready	Swamp	

Puzzle 31

```
Y B S A I L S H A V P R Y D N A S T Y
S R A T A K E N A M I R E R E P O R T
T H E S L I S S O F E S I F R A C S A
I U A V I S E D L Y K E S N U O K E S
U P O R E S L E A S B M U H T S W W I
R S V C P E S L A L W A Y S A I E I D
F E S O S D N U F I D N L T M D N N E
R T R E T A W R E D N U P A E G O G T
O T O F N I P O E E S F T N T R T W T
S S P E L L N D M S U A E D A I U T O
T A E W L E L G R A N C H C L N V S N
I D R E R E N I F G N T N P T D E E K
S M A R T O V D L S Y U S I I F K D N
C I S U M A S E U E S R E V O C S U O
S T E A L O D N N R A E E R A Y H O W
K C A J I H V T G T E R M M E R T L I
A I D E M T A I L O R S S O I T P C N
E X H I B I T T E O A G N I D N E S G
P R A I S E D Y R S S L I A T E D M S
```

Added	Erase	Infect	Nasty	Scout	Tailor
Admit	Error	Israel	Needs	Seems	Taken
Always	Event	Issue	Operas	Seldom	Tangled
Among	Every	Kissed	Peaks	Sending	Tasks
Areas	Exhibit	Knotted	Praise	Sewing	Thumbs
Aside	Fewer	Knowing	Printing	Shadow	Underwater
Basis	Finer	Layer	Raised	Sharp	Untie
Cloud	Flung	Limbs	Ranch	Slides	Upset
Covers	Forms	Loudest	Refuse	Smack	Vases
Depths	Fossils	Manufacturers	Remind	Smart	Vital
Desks	Frost	Mature	Report	Spell	Voting
Details	Fruit	Media	Rifle	Split	Wings
Diver	Funds	Metal	Rival	Sports	Woman
Domes	Grind	Meter	Ruled	Stand	Worry
Eleven	Hijack	Movies	Sails	Steal	
Endure	Identity	Music	Sandy	Sunny	
Entry	Illness	Names	Scarf	Sweden	

```
D E S A E C I R P D A I S Y S K I N S
S E V I N K O L S D E E W S R C A I T
W O R D S B A O R M R P T N E G A A O
E E O I U N L I K E A E P A R C S R R
E V R S T R V E S S E L S O L I D D E
P I R A A E P E L B R E A T H I N G
I L E P K C O L F D S T A S K S O D D
N O T P E N R N A E P C S L A T T E R
G A T O S E E O I Y L E R I S A M N R
L D I I T G S U G O L U L E H R D E S
S S B N S I E E S D N I J N A E P T E
U L E T E L M E E S N U E F D M H H N
E S A M D L A E I G I C K N E E S G O
R I I E O E N A R C K T E T I D G I T
I S N N M T L O E S I T T R E E S A I
P I O T G N A U G H T Y A R D S U R C
M R E F R I G E R A T O R S N K P T E
E C U A S K E D U R R A D I O S E S D
F O U N D P H A S E L D O M E S R U P
```

Agent	Drain	Males	Refrigerators	Stopped	Weeds
Asked	Drive	Meals	Relay	Store	Words
Attended	Egypt	Mined	Responsible	Straightened	Yards
Bitter	Empire	Modest	Ruled	Super	
Bleed	Enter	Names	Sailing	Surgeries	
Breathing	Farmed	Naughty	Sauce	Sweeping	
Caged	Fleet	Necks	Scare	Takes	
Ceased	Flock	Needle	Scrape	Tasks	
Close	Found	Noticed	Screams	Temper	
Cooks	Geese	Olive	Seldom	Terror	
Crane	Intelligence	Onion	Shade	Their	
Crisis	Issue	Organ	Share	Timer	
Daisy	Juice	Phase	Skins	Tones	
Desks	Knees	Plant	Solid	Trees	
Disappointment	Knives	Price	Stare	Unlike	
Domes	Latter	Purse	Steel	Using	
Dragon	Loads	Radios	Stone	Vessel	

```
T U N F O R T U N A T E L Y S T S I M
E O L N O I T A G I T S E V N I N L P
S S S H A F T W O R T H E D B N I L L
T L E N K E T G I S I T G L E F U U A
O N L H E L D E L C O N E I T N R S Y
L O G K T C E F N I E N N E N E O T E
E I N I W Y E S N T D X D E I V N R R
S T A T I C P G A S H E T G D E I A I
S A S C S I S N G I S U N R V R S T D
E I G H T B E S M R E G R E A T H I E
V V E E A S I E R E S A S S R H A O A
S E E N E M I E S T O L E T T E R N S
N R R E P E E S A C R P A U E L K S E
R B G L E L L M C A A N R H G E E D L
U B E L R L P C A R R O T S N S M E E
B A D S A S P U G A A G H L O S S E S
A E N F I S A R E H T A E L P A I N S
R B U I L D S L S C E W V H S E R F E
E S N E P X E S C E S E O T H E R E R
```

Abbreviation	Eight	Investigation	Often	Smells	Vetoing
Angles	Elder	Invite	Other	Solve	Wagon
Apple	Enemies	Ironed	Pains	Speed	Worth
Arose	Expense	Kitchen	Plague	Spite	
Beside	Extra	Knelt	Player	Sponge	
Bicycle	Falls	Learn	Rates	Stamps	
Blend	Fresh	Leather	Reign	Static	
Builds	Geese	Lesser	Repeats	Stole	
Burns	Germs	Letter	Ruins	Sunny	
Cages	Glass	Lifted	Senate	Tarts	
Carrot	Glide	Loses	Seventy	Tenth	
Characteristics	Grapes	Losses	Shaft	There	
Curls	Great	Meets	Shame	These	
Degree	Grinned	Mists	Shark	Twice	
Earth	Ideas	Needs	Shuts	Twist	
Easel	Illustrations	Nevertheless	Signs	Unfortunately	
Easier	Infect	Night	Simple	Vessel	

```
R C R Y T I L I B I S N O P S E R V E
E M E H T R L A V O M E R A S D R O L
F A G C G R A V E D I S N I E V E N T
A I I R N I F D E E N T E R I S V T E
S H T O I N E L E T B P C S O D E S D
T O N P S N A W V O A A I H P N L E P
R P E S A Y S S O N S T C H S A L C L
O E D M R R T E M E E T S E F H I O E
N S I R E D U C E D B E E E O I A N A
O D V F C R S U R A A R E P A I R D D
M D E C A S G R R T L N P O P R M E E
Y R E I R R N E Y T L E S E T I U Q D
R R M S R O I D N A D D K T T S N A G
A E D A I R W R D C R I O S D H I G E
D H U B E R A D N K I S O D O U R R D
I T C C D E E M I S F E H S T I X E W
O O K R L D O E S N T L S K I S S E D
S O S T A T U S H E G U E S T R I C T
N T S A D M I N I S T R A T I O N E S
```

Added	Drift	Guest	Other	Safer	Trade
Administration	Ducks	Hands	Pairs	Second	Veins
Admit	Edged	Hooks	Patterned	Secured	Visited
Agree	Emergencies	Hopes	Pleaded	Serve	Weigh
Aimed	Enter	Hopped	Poets	Shade	Wings
Astronomy	Erasing	Inside	Porch	Sheer	Wrist
Attacks	Errors	Irish	Quite	Shook	
Baseball	Estate	Kissed	Radios	Sight	
Basic	Event	Learnt	Reckon	Spain	
Carried	Evident	Lever	Reduced	Status	
Chose	Exits	Lords	Refer	Stepping	
Clash	False	March	Removal	Strict	
Crops	Feast	Married	Remove	Tarts	
Crowding	Fired	Meets	Repair	Tense	
Delay	Grave	Merry	Responsibility	Theme	
Desire	Greece	Noted	Rules	Tiger	
Doesn't	Grins	Odour	Sacred	Tooth	

```
E C D N U R S E V E N R E S T S L D N
T S E O R E H P D O R P O E T S A E F
U N S I M Y S E L F C O N T E S T M Y
C S S E R N E S E A T N O I S E R O
A O A I B R O W N S H C C G A D M A U
U V R V A O O S O R A H T F I F E H V
S I R E A S D C W F A Y S S R E T N E
E E A L L L S E S R A D A P T S E E D
K T B E I A U N T I E U A D S E R E R
A E M T E I X E A E C S N R U T C R E
L S E O V C S S S E R H N Q A I E G P
E T S P I A E E K E L M A E S N L Y U
R E E I S R G Y S E B C I I S N G I S
T D Z C S L A N T S C R O N N I A E N
H D E R A L C E D T A N A N A S E L R
R Y E W M I M E S A E P E N S T U D Y
O U N C E D A P S T S R T S D E I R D
A S S N A I L L N E S S P C B O N O E
T S N I E R V E P A S T U R E A M T N
```

Absence	Contest	Green	Ounce	Sense	Tenth
Acute	Decision	Harmed	Passes	Seven	Tested
Adapts	Declared	Helps	Pasture	Signs	Throat
After	Determination	Heroes	Poets	Slant	Topic
Alert	Dried	Ignore	Pretty	Snail	Turns
Anger	Eagle	Illness	Queen	Snaps	Values
Aside	Earned	Insure	Raced	Sneezes	Viewed
Auntie	Editor	Keeps	Racial	Snows	Yield
Austria	Embarrassed	Lakes	Radar	Sorry	You've
Brand	Enter	Lawns	Random	Soviet	
Browns	Essay	Massive	Reins	Spade	
Cages	Estate	Metal	Relax	Study	
Cause	Facts	Meter	Rests	Super	
Chains	Fasten	Mimes	Sauce	Sweep	
Chart	Feast	Myself	Scenes	Tasks	
Cleans	Fifth	Noise	Score	Teddy	
Consent	Giant	Nurse	Seeds	Television	

```
R  L  Y  P  M  U  B  R  I  E  F  K  C  R  E  S  T  S  S
A  A  S  T  I  U  S  E  L  Y  C  C  I  T  T  A  K  P  A
G  N  I  D  I  L  S  A  G  U  L  A  R  G  E  R  E  E  N
U  G  A  S  E  S  T  I  S  I  E  R  R  E  V  E  L  L  D
S  I  N  C  E  I  A  T  C  I  N  T  A  T  P  K  R  T  S
E  S  S  E  N  C  O  U  R  A  G  E  M  E  N  T  G  G  B
V  X  D  A  I  M  G  N  I  Y  T  N  U  A  U  R  L  O  A
I  S  T  N  E  N  S  G  N  A  H  S  S  R  A  A  W  S  T
T  A  A  R  I  D  T  A  K  E  S  T  N  N  N  I  A  R  T
A  P  C  O  A  C  I  D  S  I  E  S  D  C  N  C  I  I  T
T  Y  D  T  B  E  A  S  T  E  V  P  E  G  L  H  R  O  N
N  H  L  O  U  T  W  A  R  D  A  N  C  E  S  O  W  H  I
E  A  S  A  T  O  M  S  M  R  E  T  A  T  U  N  S  C  A
S  R  E  D  L  O  C  S  E  R  L  N  D  T  E  S  A  E  P
E  D  I  S  A  A  G  N  O  O  N  E  E  D  S  M  E  K  S
R  E  F  U  S  E  T  R  R  E  H  C  R  A  M  A  R  D  E
P  S  R  E  Q  S  R  A  A  E  U  T  A  T  S  E  A  T  S
E  T  S  T  C  E  J  B  U  S  E  G  D  E  E  T  L  M  O
R  O  T  O  M  A  R  B  L  E  P  A  U  S  E  M  G  A  R
```

Acids	Closes	Glance	Motor	Roses	Swear
Agree	Colder	Glare	Music	Route	Takes
Ankle	Crept	Goats	Needs	Sands	Teams
Archer	Crest	Grandparents	No-one	Seats	Terms
Aside	Customer	Grasp	Outward	Seeds	Tissue
Atlas	Dance	Hangs	Owned	Signal	Toads
Atoms	Dared	Hardest	Paint	Signs	Trace
Attic	Dates	Ideas	Panic	Since	Track
Barns	Decade	Larger	Pause	Sliding	Train
Beast	Doing	Latin	Peeps	Slows	T-shirt
Begin	Drama	Leave	Raise	Snake	Turns
Bowing	Early	Length	Reads	Spelt	Untying
Brief	Edges	Lever	Refuse	Statue	Waits
Bumpy	Encouragement	Marble	Representatives	Steer	
Cases	Error	March	Require	Subjects	
Choirs	Extra	Mercy	Rests	Sugar	
Clean	Gases	Metre	Rinks	Suits	

```
F T R I P P E D S T A Y E D I T O R H
A M N T D S I N O I T C E F R E P U S
R I M E O Q S H T W D S A X N U R S E
M D O N T U C D S N O E T N I O P S L
H L E H E S E I P O C M K O N E T N N
O E R P U H L E S E T A T S E D D A O
O N N O R S S W F T E E P A R I E W I
K D E T C E L E S C S U N S E T S A T
S S E P R C L O L T P N G U A R D S A
E G V N I L U O W Y U A I L I E T K C
S A I L O R U R T S T M P A G L D E I
T S E W E D T U S D R S P R P C E D N
U E W A T E R S T E P P U P E I T N U
P Y S I O N S A V E S L H A L C O M M
I A S E S A R E P R E S E N T I N G M
D I N R E T F A R D E H S U P O T C O
F R Y I N G E N E R A L W A Y S M N C
N S T H C A Y G F L O O R A N G E S U
```

After	Fellow	Noisy	Puppet	Stayed	Upset
Always	Fever	Noted	Pushed	Stripe	Urged
Asked	Flesh	Notes	Reeds	Stump	Views
Atoms	Floor	Nurse	Representing	Stupid	Wants
Canned	Fresh	Occurs	Ripen	Styles	Water
Cloud	Frying	Octopus	Ruled	Sunset	Weird
Communication	Geese	Onion	Sailor	Super	Works
Copies	General	Oranges	Saves	Taste	Yachts
Cruel	Guards	Pains	Select	Tides	
Draft	Hooks	Pairs	Sewed	Toads	
Eaten	Icicle	Panic	Shook	Tourist	
Editor	Inner	Pardoned	Sides	Treatment	
Elected	Learnt	Peach	Slows	Tripped	
Erases	Lends	Perfection	Spaceship	Turns	
Estate	Middle	Phone	Squash	Twigs	
Exist	Modern	Plate	Stand	Untie	
Farms	Nails	Point	States	Until	

Puzzle 38

```
E A S M R U L E S E L B A T S H I R T
V S P E E D F I R E D O U G H O R N S
O W E G S T I U S S E C E R I G H T S
B A L Y S S S E R D E N I L C N I I E
A G T P S U I T E D I S K S R S G L A
N O I T A N I M A X E C K C U L P P S
K N Y L N D E T S O P A S C R G R S I
S L L E S I L I M I T R H D A I A A D
E Y P G T E D A C E D E I A L R R R E
B I B N E V I G S M A S H D W O C G T
E D U I E D G E S E T A T S E A H R N
L R R S N E L A C S K C A B H S I R I
D A N I S H D N I L G T H I R A T I O
N I T C C G E L S A N A V A L V E H P
A N I I S H O A E E I H G N I K C A P
H I B T V O E R V S S A V E D N T S A
S N A I L S P R A Y U S E F U L U K S
N G H R S T R O O P A N E L F I R E I
E X E C U T E W L A C T O R C H E D D
```

Above	Disappointed	Hasn't	Packing	Scale	States
Actor	Disks	Hawaii	Panel	Scare	Style
Aging	Dismisses	Heavy	Pennies	Scrub	Sugar
April	Dough	Hence	Pluck	Seals	Suited
Architecture	Drain	Holds	Posted	Seaside	Suits
Arrow	Dress	Horns	Pride	Sells	Torch
Asked	Edges	Inclined	Racks	Skates	Trial
Backs	Egypt	India	Raining	Slight	Troop
Banks	Estate	Irish	Ratio	Smash	T-shirt
Burnt	Examination	Knees	Recess	Snail	Untie
Cares	Execute	Limit	Richer	Speed	Useful
Causing	Fired	Lists	Rides	Spelt	Usually
Chain	Ghost	Loaves	Rifle	Spins	Valve
Crack	Given	Lunch	Rights	Split	Vital
Criticising	Grasp	Nails	Rules	Spray	Wagon
Danish	Habit	Naval	Rural	Stables	
Decade	Handle	Needles	Saved	Stage	

Puzzle 39

```
F D B A T T I N G R I N D T I R E D S
O E I W E I G H T Y S E L A S T I C S
R P Y S A M P L E S T R I C T C A V Y
T E R D E M M A J S P O H S S L L E A
S N O I T A S R E V N O C E E S L R T
G D E L A U S U M M I T R X V L O S S
O A H M S T H E I R S S A T O E W E O
Y B T U T U R N S N W O T R O E I S M
P L P E Y N E N A M O W T A H P N I L
A E E R S R I A S D N A L G O Y G A A
R E U R O P E O P A S T E C S G C R T
C K R O U G N I P P A L F K S O Y O E
S A B R C P R E D P L A N K V A K B S
E H A O P E R A S E A I S R A E L O T
D S N D E C A Y M Y L S E T E U I T E
I E R U S I E L R T L L I D R D M S A
S V E E S E N A P A J A O D A A U S M
A E N G A G E T H N I C N R Y A W C S
G N I T N E M I R E P X E A C R E S E
```

Acres	Diseases	Israel	Rattle	Straws
Allowing	Eighty	Italy	Reduce	Strict
Almost	Elastic	Jammed	Robots	Summit
Analyse	Engage	Japanese	Rolled	Super
Applied	Erase	Latest	Sales	Tasty
Aside	Error	Leisure	Samples	Theirs
Atlas	Ethnic	Links	Scale	Theory
Batting	Europe	Milky	Scrap	Tired
Cause	Experimenting	Miner	Seven	Towns
Child	Extra	Operas	Shake	Trolley
Choirs	Flapping	Paste	Shops	Turns
Cones	Forts	Peels	Sides	Urban
Conversations	Gates	Plank	Sleepy	Usual
Copies	Glands	Program	Snows	Verses
Decay	Goats	Purely	Sport	Vocal
Dependable	Grind	Radios	Stays	Weight
Disappointment	Hooves	Raise	Steams	Woman

Puzzle 40

```
E Y R A L A S T I N G S K S L E B A L
S E L B O W H E X T R A C T O R S N A
E L P I A M A E T D E E R F C N N A U
H A L L D E L A Y U N B T I M U O E S
T D C I S M L O Q T H A R E I N I N U
B M E T H O D S V E L C L S M O T A N
S L A Y O R D E R E U O A O R R A R N
L W O S E Y R D S M S N V R C P C R Y
H I E W S B S E F U C C E E A A I E A
O L T R S Y O E A E O A A T D P L T N
U L O R C F R R C W D R R B M L P I I
S U D N E E R G I S D E E T I O I D H
E S I E N S P A N E L S W N R N T E C
C T S C R E E N G A Y I G C E S L M T
I R E A T E P D A I S Y H D R G U Y I
V A E R I M Y R E T T O P H S A M S D
R T I T G A C H O S E L T T A B W E O
E E A S E L A U T O M A T I C A L L Y
S D N A R B E T U L F L E H S E L F M
```

Ability	Chose	Green	Nuisance	Shelf
Admire	Circumference	Herds	Obeyed	Shoes
Agreed	Claws	Hills	Oddly	Smash
Alert	Crawl	House	Older	Solemn
Angry	Crews	Illustrated	Order	Squeak
Apron	Daisy	Labels	Panel	Stings
Atoms	Delay	Lasting	Parachute	Sunny
Automatically	Desert	Loads	Porch	Tears
Bacon	Ditch	Local	Pottery	These
Battles	Easel	Loved	Proof	Tiger
Blame	Elbow	Loves	Reads	Trace
Blows	Extract	Mediterranean	Royal	Tractors
Brands	Facing	Memory	Salary	Tries
Cabin	Flesh	Meter	Scent	Twist
Cares	Flute	Methods	Screen	Usual
Carts	Freed	Multiplication	Services	Verbs
China	Generous	Myself	Shall	Yelling

Puzzle 41

```
B C L A S H E S D U S T Y L D D O G E
E N A R P H D O D I S A R M C R N N R
A O R E K C U R T R I B A L S I A I I
S T U N G B A T A K E S I E K E E P S
T I R N T R I Z S O S M D I U W L E E
H C T I W N O I T U B I R T N O C E D
G E T D G R N U M T R T I D K E E P E
U S S T H G I E N E S E G D E A L S G
O N L S S P D S S D T E H R O N C N T
N O I T A R O L P X E R G C L A I M P
K U A R I Y L I A R T I E N I S C A Y
C G R E E N M A N U F A C T U R I N G
I O D S E N D S S T N D F S P O N G E
T C U S E Y E E S S N N O R W A Y V G
S M T E L D W R B A I Y A E A R H A D
A S D D I O O O L B R E L C R I C C O
L L A S L O W S B R U L E O D N D A L
E B A L M R I L U L S R W I N G S N L
S G A S E S E H T A E N R E D N U T S
```

Afraid	Desire	Gases	Noughts	Sails	Trail
Allow	Diary	Gifts	Nursed	Sales	Tribal
Amuse	Dinner	Greece	Nylon	Sends	Truck
Annual	Disarm	Green	Oceans	Shuts	Underneath
Aside	Dolls	Ground	Oddly	Sides	Upward
Assumed	Doors	Hurry	Parrot	Sings	Using
Badly	Doubt	Icicle	Peeping	Sitting	Vacant
Beast	Dried	Island	Peeps	Skunk	Weird
Board	Dusty	Keeps	Point	Slows	Wells
Chapter	Edges	Lodge	Rails	Snaps	Wings
Circle	Egypt	Manufacturing	Razor	Sponge	Witch
Claim	Eights	Metre	Richer	Stick	Worry
Clashes	Elastic	Needle	Rides	Stressed	Youngest
Clean	Elbow	Nests	Roaring	Striking	
Climb	Essay	Nibble	Rooms	Stung	
Contribution	Exploration	Norway	Rubbed	Takes	
Deals	Gained	Notices	Rural	These	

Puzzle 42

```
M A I D S N R A E L C U N K I N D L Y
S T A R T C O N T I N U O U S L Y L L
S D N A S H E S M I L E A R N T W B K
C L A W S T G B E A K S R O B E S E G
L H Y E R C R I O Y T C E F N I E E N
U G I R A I I E T D O S K C A R T T I
N O O N R E T F A O I Y L E G R A L N
G S A O A U U E L M W E R E N T E E T
Y D D A D T F S R O P R S E N S E S T
A S E R U S I E L S O L A R S D V I H
S D E R A E F V I R H R A E S L A S G
S E E S N D E S E G D E R C A S E T I
E L N J R S I L U N H P L V E G L E R
C C O I S U N O B I L T A T D D C R F
O Y C T L A N O I T A N R E T N I E B
S C S D A E H H R S E A I I E O D X A
T F I R S T A C K I T E S F E I B O N
L A D E M I D S T X S M E E S D E B G
Y N B E L O W A K E S D S A T A N K S
```

Afternoon	Continuously	First	Leisure	Radio	Tasks
Arise	Cools	Floor	Lesser	Reward	Tight
Ashes	Costly	Frightening	Lines	Rises	Track
Aside	Cycled	Furry	Maids	Robes	Tried
Bangs	Daddy	Future	Meant	Sacred	Unkind
Beaks	Defence	Goods	Medal	Sands	Wakes
Beetles	Disco	Greek	Midst	Schools	Weren't
Below	Drawer	Heads	Native	Seems	Wolves
Bodies	Edges	Infect	Naval	Senses	Writer
Bonus	Eight	International	Needs	Sister	
Bottle	Enjoys	Irons	Newly	Smile	
Boxer	Enough	Kindly	Nosey	Solar	
Canada	Error	Kites	Nurses	Stack	
China	Essay	Largely	Orbit	Start	
Claws	Existing	Learns	Placed	Steal	
Clear	Feared	Learnt	Press	Stream	
Clung	Feels	Leave	Racks	Tanks	

```
A C C U S E I T I N U T R O P P O T P
H R Y L H G U O R B I T S E L F W R F
C R O W D S I L L U S T R A T I O N S
A O Y S L E G N A M E D I A N T S Y E
M T L O E S U C X E E E S S E Y L D I
O I R E L C Y C P D D K T S A R O I T
T D A C H A S E V A S A T L U E A S I
S E E T Y P I C A L N B P C I V D A V
D S X K B E D U R C E W L E E E E R I
L I P T C U N D E R Y E K O D L D M T
S A E M I O O D S A M R C D W I E L C
E C D G U L R D L D O C A O S N S S A
R I I E L L E P L E I S R E V E N N L
O D T M P A S C U T S G T Y S O H O I
N S I Y T I N O P F T S S O U A C S I
G N O H D E S C R I B I N G B K F A A
I O N R A D I O E R A A H I S R A E L
T R S O M E D A Y D I T T E V R E S R
W I D E L Y C O M P O S E R V I N G Y
```

Accuse	Daisy	Ignore	Nought	Select
Acids	Death	Illustrations	Opportunities	Serve
Activities	Describing	Inside	Orbit	Serving
Added	Disarm	Instance	Pedal	Sixth
Angels	Display	Irons	Pianos	Someday
Arose	Doubt	Israel	Plays	Steep
Ashes	Drifted	Itself	Protest	Stomach
Baked	Early	Lever	Pulls	Tasks
Blown	Editor	Loaded	Radio	Textile
Carts	Endless	Locks	Rhyme	Tides
Chase	Escape	Lords	Rocked	Track
Cocoa	Every	Lumps	Roughly	Twins
Composer	Excuse	Medal	Safer	Typical
Crowds	Expeditions	Media	Saves	Under
Crude	Glanced	Moist	Screw	Vocal
Curly	Growl	Named	Seasons	Widely
Cycle	Habit	Never	Seeds	

Puzzle 44

```
N E K A T R A E H S E G A Y O V S P C
E O F F E R R Y S H O N E N O L A R C
T A D E S O L C A G R I C U L T U R E
S F L O S S S H L I T R E N R S I Y X
B N L I D E T A C O L E T O H E O C I
A A O E E S E M U R E V L I S K D R S
R N K I E N A B L E S I L T T A L I T
N R N E T T S E W E D H D A R N A S S
S G I E D R E R O B E S L T E S N P A
E V R E S B O A R S C I E E E V R S O
T S D P R N L P R D N D I R T Y E G T
A O I O G T A S O E E E Y P S Z T R S
D N K S E A S M M R F A W R E E X N H
E E E R D E T T O D P S I E A T E N I
V E E P H A S E T N A L N T R T I R R
I D L F L O O D S U G S D N T A E R T
D S S K U L L T C H O P S I H D S S S
S S R I A P S T H G I N K C L I N E D
M A G N E T S T R I N G S E X P O R T
```

Agriculture	Dates	Fleet	Nights	Skull	Voyages
Aliens	Dirty	Floods	Observe	Sleek	Winds
Alone	Dived	Gates	Offer	Snakes	Wrong
Altered	Dotted	Heart	Pairs	Sneezes	Yield
Among	Drink	Hotel	Patrol	Solar	
Baked	Earth	Hundreds	Phase	Spare	
Barns	Eaten	Ideas	Proportions	Spine	
Broke	Elder	Interpretation	Rates	Streets	
Chain	Enables	Kittens	Reveal	Strings	
Chamber	Enters	Knight	Robes	Taken	
Chops	Erase	Lasts	Roses	Tease	
Clash	Erosion	Lined	Seeing	Toads	
Closed	Exists	Litre	Sewed	Toast	
Cries	Export	Located	Shirts	Tomorrow	
Crisps	External	Magnets	Shivering	Treat	
Crush	Fenced	Needs	Shone	Trees	
Darted	Ferry	Newer	Silver	T-shirt	

Puzzle 45

```
C E L T B U S B O N E S E G H G A S S
B A S I N R K R T C A X E O N N S E D
E D I S A M C O N S T R U C T I O N R
A S P I N S O A S R P S N T M S Y O E
A T G L L O R D A N E E C I D U D T H
P C L W A F M O N V I R L A E C N S C
P E O A W N R E L A A A E L T C I S A
L B V M S D S A L F R H T P O A W U R
Y E E P I T C H T I A C E N V H A O A
A B C N I C F E T U O R S A O T R V E
E U A N S U R I V E C I M R V C T R A
B R G T E N E O N L D S O S H Y S E S
Y N L L O S A I D E A P O L C Y C N E
A E S O L T B D R U E V S U N P M N L
M D N L S M E A H D O U E C U P D E S
S E I H O K B R A V E L Q K P U M P S
I R I C R L L E L P P A I R P O R T
D R A A E Q U A T E P P M E A T S E N
T A P P E D S S W O N S A R C H E R S
```

Absence	Calves	Extraordinary	No-one	Snows
Accusing	Combine	Farms	Parked	Spell
Afternoon	Comic	France	Pedal	Spins
Ahead	Considerable	Fuels	Pitch	Stone
Airport	Construction	Glove	Plait	Straw
Aloud	Contains	Heads	Plans	Subtle
Apple	Craft	Heavy	Pumps	Tapped
Apply	Crept	Herds	Punch	Tones
Archers	Crisp	House	Puppy	T-shirt
Aside	Dismay	Lemons	Queen	Tying
Atlas	Drill	Luckier	Radio	Uncle
Basin	Earache	Maybe	Random	Valve
Bones	Easels	Meats	Rhyme	Virus
Bowls	Encyclopaedia	Melts	Rocks	Voted
Brave	Endure	Moose	Roped	Walks
Broad	Equate	Nervous	Route	Windy
Burned	Exact	Nesting	Similarities	

Puzzle 46

```
F I R E D G Y L T H G I R L S A N D Y
L T N E M H S I L B A T S E T P A D A
O I E A E P P S O V I C R K S R B E N
W P G A T H E R N C L C U A I O R P P
S I L N P T B R D L A G R T X N U P I
C S E L I P B T O E Y G R E E N S A E
N E C K S Z L S N R O Y L R U O H T C
N G T T O E E O K R H O U S E E T E
O D E P P I Z E B R A S P E C T S E S
I U D O N E H I U H T H O U G H T D D
S J L L A T R N E Q C S P O N G E E S
Y S A A K E O C P S S R T R K C M E D
H N S R E N W O Y E V N O C E R H E M
D A E R D A D M O R R R I T A S K E E
H Y H E T R I E U V R H U L A S T E D
C T S C I T S I R E T C A R A H C R I
A S H V S X K N E V E S C P N O I N U
E U E U Q E S M I X E D N I S U O C M
P R C L O W N P E A C E C O N O M I C
```

Acres	Disks	Heals	Owners	Serve	You're
Acute	Dread	Hourly	Patted	Seven	Zebra
Adapt	Drive	House	Peace	Skins	Zipped
Alarm	Economic	Income	Peach	Slope	
Apple	Emperor	Index	Pebble	Sorts	
Apron	Error	Inland	Perhaps	Speed	
Armed	Establishment	Judges	Pieces	Sponge	
Asked	Ethnic	Kites	Piles	Squeezing	
Aspects	Execute	Lasted	Polar	Tapped	
Brushes	Exists	London	Punched	Theory	
Characteristics	Extra	Magic	Queue	Thick	
Clerk	Fired	Medium	Rightly	Thought	
Clown	Flows	Mixed	River	Three	
Convey	Gather	Naked	Royal	Torch	
Cousin	Girls	Necks	Rusty	Union	
Crashes	Grasp	Neglected	Sandy	Urban	
Crept	Green	Noisy	Seize	Watch	

Puzzle 47

```
N  E  T  A  E  F  E  D  E  S  S  A  P  R  T  I  D  E  S
S  T  S  O  C  E  A  N  R  R  D  L  I  A  T  E  D  S  T
A  A  O  C  O  C  I  O  R  E  H  A  A  L  M  O  E  N  A
E  D  P  N  L  T  U  E  S  H  O  L  L  O  W  U  E  G  R
T  I  U  O  A  G  G  S  Y  T  O  A  C  P  G  M  N  L  R
A  D  W  L  H  I  I  T  E  O  E  R  N  A  E  U  A  E  I
N  N  A  P  T  K  P  D  S  D  A  M  E  L  R  T  B  A  V
U  A  P  O  D  M  I  E  D  C  Y  L  T  S  O  M  L  M  E
T  C  R  O  E  N  H  P  Y  R  D  T  E  T  E  C  E  I  P
R  O  O  L  F  S  S  I  Y  T  E  W  S  M  F  S  E  N  S
O  L  N  S  U  E  N  W  H  S  V  A  E  R  I  H  R  G  R
F  Y  L  L  E  J  O  G  S  T  O  R  M  E  N  O  E  R  U
R  L  B  J  U  N  I  F  O  R  M  S  O  G  K  P  H  E  O
E  A  M  U  S  E  T  C  H  E  A  P  H  N  A  S  W  E  Y
T  I  E  M  S  L  A  P  P  R  E  C  I  A  T  I  O  N  P
R  T  S  P  M  U  L  E  N  O  U  G  H  T  N  H  N  R  S
O  I  A  S  S  N  E  A  P  S  M  A  E  T  S  U  I  E  S
H  N  D  E  C  A  R  L  C  S  D  L  E  I  F  M  O  N  D
S  I  D  E  S  R  E  G  N  I  S  R  T  C  E  J  N  I  K
```

Accused	Defeat	Goals	Mostly	Remember	Uniform
Adult	Democracy	Green	Moved	Roast	Weeks
Alarm	Detail	Guess	Nought	Rough	Winter
Amuse	Dream	Heroic	Nowhere	Settlement	Wiped
Anger	Eaten	Hollow	Nurse	Shops	Yours
Appreciation	Eight	Homes	Ocean	Shorter	
Apron	Empty	Initial	Onion	Sides	
Arrive	Enable	Inject	Others	Singers	
Attic	Enough	Jelly	Passed	Snaps	
Blushes	Fields	Jumps	People	Snowy	
Calls	Flood	Kissed	Piano	Spear	
Candidate	Floor	Knife	Piece	Steams	
Caused	Forms	Latin	Polar	Storm	
Cheap	Fortunate	League	Pools	Think	
Clown	Funny	Loose	Prime	Tides	
Cocoa	Gained	Lumps	Raced	Tiger	
Costs	Gleaming	Lunar	Relationship	Total	

Puzzle 48

```
D Y G K N O W I N G S U N N Y C N G O
E L L E G N O P S O T H E R S E A U U
G R O R K C O L F C S B O R R M M I T
R E W E F D F F A V I T A L U E O D L
U D E P D A R X F R S E T R C N R E I
N R D L T U E S T I G I D H C T S S N
G O Y A A T E H H F C E I A O A T R E
S U L C K W L M A L R E D Y R R E B D
D G M E R C Y C L E F E N I A T N O C
N H N D A T R E E S K D T N S S T R N
E L I I H S A P R S E H S A L P S R A
T Y T S S M L F A D F L A T O T G O E
E G U A G A E R N D A E I S E V A W C
R P N N N C R E A T I N G P H S L K O
P A A S W K T E E A R V S A E A F C L
O S W E E T S D G C I V I L G A B A U
E T A N E S D A N G E R Y V L N C N M
T R R D A Y I L H A S T I L Y O E S N
S Y E Y G N I W E S S E S A V A G E E
```

Again	Ended	Guides	Others	Shark	Total
Alert	Engage	Hairs	Outline	Sings	Trade
Aside	Erasing	Hastily	Pastry	Smack	Translated
Asked	Essay	History	Peered	Snack	Trees
Berry	Exact	Knowing	Piles	Splashes	Tribe
Birth	Fairies	Large	Placed	Sponge	Unaware
Borrow	Falls	Lawyer	Plans	Steps	Urged
Cement	Fatal	Lined	Poets	Stern	Vases
Chief	Fewer	Mercy	Pretend	Styles	Vital
Civil	Flags	Murder	Replace	Sunny	Vivid
Column	Flock	Myths	Rifle	Sweets	Vocal
Contain	Freed	Netted	Roman	Tanks	Waves
Creating	Freely	Occurs	Roughly	Tarts	Wears
Cycle	Gauge	Ocean	Rungs	Teddy	Wings
Danger	Gears	Oddly	Savage	Tends	
Didn't	Glowed	Office	Senate	Tents	
Digits	Greek	Orderly	Sewing	Thorn	

```
B R E E Z E T R U L Y I N G C T O D P
S A H G R E P R E S E N T A T I V E A
N E L Y U P R O O F W A G E S M E N N
B E C A M E A C C U T E A R Y E N N I
S K C A B E S R O H S N E P E R S E C
L K T K F N O T T U B E E A R A F P H
K H N E S W I N G S R R R D G I C I E
S A A I D E M A N D O T U N N E L H A
T O E S S E M A N S W E R A S E R S P
O S R P O I N T E D N M L A D E P R G
R S E G S T N E M E V E I H C A I E Y
E B D A A N G R Y N S L I R T S O N D
C M U K T N B E A R D R S Y M M U T U
L I C C H S S D D E E X T L A R U R O
A L T U R K E Y O T L I N T E R V A L
R L I T E L E W T S G F E L B B E P C
O E O S A H I U I H A E V T N U O C A
C M N E T N Y L T N E R E F F I D L C
E S H D A S H E D S G P S O L V I N G
```

Achievements	Dashed	Lists	Prism	Stuck
Angry	Demand	Lying	Proof	Swings
Answer	Dependent	Maths	Reach	They'd
April	Differently	Media	Reduction	Threat
Attic	Eager	Metre	Representative	Tight
Backs	Eagle	Names	Rhyme	Timer
Beard	Erase	Necks	Rural	Today
Became	Events	Nostrils	Seats	Trouser
Breeze	Faces	Organs	Seven	Truly
Brown	Final	Ovens	Sewing	Tummy
Button	Globe	Panic	Sheds	Tunnel
Cages	Greys	Partnership	Sinks	Turkey
Cheap	Guest	Parts	Smell	Utter
Cloudy	Healed	Pebble	Solving	Wages
Coral	Horseback	Pedal	Speak	
Count	Interval	Penned	Stern	
Court	Learn	Pointed	Store	
Crowds	Limbs	Prefix	Strap	

```
L A M B S N W O R B D E L L A N G I S
S T R A Y O L E G Y P S Y S E N A T E
O E R U M N L S S R S O E V I D E N T
C L M A E A A E N O A L E R A L L Y E
S L N Y C O M M U N I C A T I O N S E
I S A S H E S G O N I E C O S M O T S
D Y K C O R H L N L P O T E C O I F G
S E S M E T R E S P N T S I G N S Y N
S P K T S I R E A G W U T I I T S R I
C A E S O L R S R I O N D F I H T A N
A C R L A U I A S H A K E N G S R I R
R S O I T D T T H G E D G N I R A D A
C E M P E U S P I N N S I N O M D N E
E H A S L E U G O I Y S Y W S H E E T
E C N A V G N Y N L O O S E S A F R C
S A T N E N N D E L I O I A R N E T A
R E I N S A Y R R A M S G K A G A I N
S B C S T R A P V F A T H E R S T I A
M I M E S B L E E D E L T R A T S S L
```

Again	Disappearing	Lambs	Remind	Startled
Anyone	Disco	Litre	Rhymes	Stings
Arrows	Earnings	Loose	Rocky	Stout
Ashes	Echoes	Loses	Romantic	Strap
Asked	Elves	Losing	Scale	Stray
Barely	Escape	Marry	Scarce	Sunny
Beaches	Evident	Metres	Senate	Tells
Bleed	Falling	Mimes	Shaken	Toilets
Browns	Father	Months	Sheet	Trace
Canal	Gigantic	Nerve	Sight	Trade
Capture	Goose	Nouns	Signalled	Trend
Cargo	Greys	Oiled	Signs	Twist
Close	Gypsy	Parts	Slice	Weaker
Communications	Hangs	Poets	Slips	Woman
Congratulates	House	Polish	Small	
Daring	Indefinite	Rally	Snail	
Defeat	Inner	Range	Sought	
Diary	Invests	Reins	Spelt	

```
N E V S D E E N H T R U O F E R R R D
S N E C F S T W E L V E N U S J N E N
K D A I P E N C E R T N E C S E D P U
S U O G T V I C T I M S N G T A L P O
I T T A E P E R E F E R D A A N L U P
D I N R T B R I G S M A E R T S E T R
E E T E X I T S L I V E D E E T S N A
S S N H M T L P S N A P S E S A I E A
U N U L I E S E C N H T I T D T A M M
C E A T I E V A S A O N O S A E R E U
C S H E H N V O T I G I S L O M L S S
A H E S P E E R N X T N O T E A I E
S O A R S O S D S P S E F O U N D T U
P P D R I I R N C O M E S E T T I R M
E S S T G D E U H S E I O L T S E E A
C V A N H E G G E R L R N D E A S V R
T R A W A R D E D A L O U D R E A D K
S L A R T I E B R E N N I U I B P A E
S K C A B I L I T Y S S E C C A E S T
```

Ability	Charge	Grief	Pence	Smell
Access	Cigar	Hates	Pound	Snail
Accused	Comes	Haunt	Raise	Snaps
Advertisement	Crisp	Improvements	Ratio	Statements
Ahead	Cuddle	India	Reason	States
Aloud	Descent	Inner	Refer	Steer
Amuse	Devils	Irons	Repeat	Streams
Ashes	Disks	Jeans	Ridge	Thieves
Aspects	Doesn't	Ladies	Riots	Tiles
Atlas	Dread	Latin	Rules	Toads
Awarded	Duties	Ledge	Seeing	Twelve
Backs	Eaten	Lined	Senate	Upper
Beast	Ended	Market	Sense	Utter
Began	Europeans	Message	Shops	Venus
Begun	Exits	Museum	Sides	Victims
Brave	Found	Needs	Signal	Years
Caves	Fourth	Onions	Sixes	
Centre	Ghosts	Peels	Sleeps	

Puzzle 52

```
P A N E M O W T E L L S E V I G E H G
S U F S M A R C H A C R E S C O C O A
E S L I N T V A D H S L O O T A N L L
V Y A S S E P E A C E F G T T T A E E
I A S S E K P R S G F N L E C N D S S
T L K U P C T P E S I R G E G A A U S
A O M E D A L N A L E O A I H L P S O
R U T S U J D A E H R L S T E S T S N
A D T H I I U E S I Y L S A I R M A S
P N T T A H F D E S K S V D U U I S F
M U D R E S S S G D I E E C S L G L I
O O Y O U R S H W E S F K K S Y H A N
C R E F E R L O E L A I I P A L T I D
A S R A E Y A W L B L R L C R L R C I
R N B I T T E N L M T E E K A O C I N
E X T E N T S E S U H D H S Y T O F G
C O N C E N T R A T I O N S C L I F F
I I Y L R A E N J O Y E W R E C K O N
N O I T A R T S U L L I M E A D O W N
```

Acres	Diary	Hijack	Officials	Skirt
Actor	Dress	Holes	Owner	Slant
Adapt	Enjoy	Illustration	Peace	Spade
Adjust	Essay	Issues	Pedal	Struck
Aloud	Extent	Jacket	Proof	Tarts
Aren't	Fable	Judge	Pulse	Tells
Atlas	Feeling	Lakes	React	Tents
Bitten	Fiery	Leaves	Reckon	Tests
Categories	Finding	Legend	Refer	Tools
Chart	Fired	Lessons	Reign	Tumbled
Classification	Flask	March	Rolls	Upside
Cliff	Forth	Meadow	Round	Utter
Cocoa	Gales	Medal	Seals	Vessel
Comparative	Girls	Might	Shelf	Wells
Concentration	Gives	Nails	Shell	Women
Dance	Guitar	Nearly	Shown	Wreck
Decay	Happens	Nicer	Signal	Years
Desks	Helps	Ninety	Silky	Yours

```
M D E T C E J N I G N I H T E E T T F
O B E L L S N O A F S S R O R R E R A
U D C F D G N I N I L E L V A L V E B
N B L A M E N T A L T E S N U S I A L
T E O I D E R A D M M S S N W O T T E
E G T T C R E G I O E P U T E T A Y V
D I H H O H L I N L O R W H I S T L E
Y N N A N T A T S R S A M N M R N D L
A Y R O T S X S T E E Y G O S E E I T
Y R O M E M Y E A G L T O G S T S T R
A A E R M E D V N A E T S N A I E C I
S N M P P L D N T E H C I I T R R E M
S I S A O L U I L V E O L R H W P S M
E A S N R S M F V L J S H E I E E N E
A T E N A D E R U O P T G W N P R I D
L E I O R C E B B V R S U S G Y P S Y
O R Z Y Y U K V I E E P O N S T R U H
N A E E C I T S I R E T C A R A H C U
G N I D N A L T I L T E D G I N G T Y
```

Along	Edging	Lemon	Relax	Tilted
Annoyed	Elder	Level	Remain	Towns
Answering	Errors	Lining	Representative	Transported
Batting	Essay	Lived	Retain	Treaty
Begin	Fable	Lover	Revolve	Tribes
Bells	Faith	Meets	Seize	Trimmed
Blame	Fleet	Memory	Senses	Turns
Characteristic	Gypsy	Mental	Smells	Typewriters
Cloth	Hurts	Mounted	Smooth	Valve
Contemporary	Injected	Muddy	Snacks	Whistle
Costs	Insect	Nails	Spray	
Cough	Instant	Nanny	Stern	
Dared	Investigation	Nurse	Story	
Details	Italy	Oasis	Sunset	
Devil	Itself	Opera	Teething	
Drama	Joins	Poured	Things	
Eager	Landing	Provide	Three	

Puzzle 54

```
S R E F E R S H E L L O S E R S O D S
D C A V E S E T T L I N G K N I V E S
E R S V B S S S W O L L E N L A M S K
C E I M T R E S P N O Y O B W O C O S
A D T O A R O T D O O T S A D L Y P R
R I U E T R E K T N N G Y C I U J P I
G T P S L S P T E L E S A E T N O O O
R S C L U E S A F N E L I R S T I R H
E L C I C I G G A A D O R B D I N T C
T L E A D S T A I R S O P R I E T U T
A A S T I U S I N A E C O S M L L N I
S F L E S S O N T T D H R E T L I I D
K G R D S K L I S E C U T S N I W T P
S G N I E B S L V T S S S O E P X I Y
E O S I C D T E U H P U E T M S E E A
P A R T S A I H D P O A N I Y A A S C
O T R I A L G R I I I L U D P I T C H
H S Y L E R E M P C L A D E P O S O T
E N T R Y C R U D E K S A S P E C T S
```

Africa	Crude	Grace	Ocean	Sadly	Tease
After	Desks	Holds	Opportunities	Settle	Thick
Again	Details	Hopes	Opposed	Settling	Tides
Airport	Ditch	Hutch	Pears	Shell	Tiger
Asked	Diver	Icicle	Pedal	Silks	Tomato
Aspect	Domes	Joint	Piled	Sings	Tooth
Being	Dragon	Juicy	Pitch	Slides	Trial
Broken	Dunes	Knives	Ponds	Spear	Twins
Cases	Dusty	Leads	Ports	Spill	Untie
Caves	Early	Lends	Prams	Spoil	Usual
Choirs	Easel	Lesson	Pride	Stair	Yachts
Chord	Elegant	Losers	Pulls	Stood	Yolks
Clues	Entry	Merely	Raced	Stout	
Cools	Exits	Midst	Refers	Strap	
Copies	Faint	Mother	Relieved	Suits	
Cowboy	Falls	Needs	Responsibility	Swollen	
Credit	Goats	Oasis	Riots	Tasks	

Puzzle 55

```
D D E A T H S S C L A E P P A D D L E
U E S S A Y T H R O W Y L E E R F S F
O M V L S E V E N T V R T R E V I L A
L A O E E E L L E V R E S N U S E S N
C N P R L E R D A T O Y R E A C H R C
E X T R A O R D I N A R Y O S T C N Y
E S T S I L P A D D D O D I Y N S O M
I B E N N S L S I A S J N M A A U I E
T M E E E P M R T S I A I E T R L T D
N S P P W G F R E E G M M A S O S A I
U I O O E R A W A T H L E T E S N C A
R R E F R I G E R A T O R S O E O I C
A B S E N T S Y Y D D E T S E R O F R
D S H E L L I T R L I L B H O W P I O
A L D S L R S N E U W B A B E L S T B
R A T I O K O I G A J O I N S R V N A
T U M R S O Y C R E M N A V A L R E T
E Q R A N Y L T N E I C I F F U S D S
D E T E R M I N A T I O N I O N S I C
```

Absent	Determination	Lists	Opens	Saddle	Trained
Acrobats	Develop	Liver	Other	Senior	Untie
Address	Distant	Major	Paddle	Serve	Width
Agent	Equals	Meats	Plait	Seven	Yield
Alive	Error	Media	Prism	Shell	Yours
Alone	Essay	Mercy	Radar	Sight	
Appeal	Event	Mills	Ratio	Solve	
Arise	Every	Moral	Reach	Spoons	
Arose	Extraordinary	Myths	Refrigerators	Stays	
Athletes	Fancy	Named	Release	Steam	
Aware	Forest	Naval	Remind	Steer	
Better	Freely	Newer	Rested	Streets	
Cloud	Fridays	Noble	Ripen	Sufficiently	
Cover	Identification	No-one	Roads	Tasks	
Darted	Importing	Oasis	Robin	Teddy	
Dates	Injury	Occur	Ropes	Teeth	
Deaths	Joins	Onions	Royal	Throw	

Puzzle 56

```
U N D E R D E C N A V D A Y T K D Y O
S E A E L D P O S T M A N R L S I P E
K T M S W I N G N I Y D O A S E G A C
S A C T I O N U E G Y P T S L Y I N G
U E E I G D L E O E E S E D I S R T R
T L V R R B E S N R S I D R M S I S E
N C A L T C T H A G T R A A A I A G E
A C E V A S U T S I N F O W G S T O N
R P N L I C P M L I T I L T E D T V A
O U O M L R R A S S N A P S C E I E I
N N L W S S U I I T R O A A D A C R C
G C A I H Q D S E N A R T E E G F N I
I H I Z W E R S T S E N Z S L L E M S
S E C A R A E L E B L I C S A E U E U
T D O R R U S L I D E D N E E N N N M
A E S D E T S E S S I D P U S D T T M
F S T R A P X T E A C R O S S S I A E
F F I L C G R E Y S A L E S H A L L R
R K L M O V E D E T E R M I N I N G G
```

Action	Determining	Island	Perch	Shall	Tiger
Advanced	Dress	Issues	Postman	Sides	Tilted
Alone	Dying	Leaping	Punched	Slide	Tusks
Along	Eagle	Learnt	Qualities	Slowed	Under
Aside	Eastward	Lends	Races	Smells	Until
Astonished	Eaten	Linen	Rafts	Snaps	Virus
Attic	Egypt	Lying	Report	Social	Wheels
Blunt	Ended	Mental	Rides	Spain	Wizard
Cages	Erases	Mists	Rigid	Staff	Yield
Calves	Extra	Moved	Rival	Stalk	
Cargo	Factors	Musician	Round	Stall	
Cells	Glide	Nests	Rusty	Strap	
Circumstances	Government	Noted	Sales	Streak	
Cliff	Green	Oasis	Sealed	Summer	
Cries	Greys	Opera	Seesaw	Swing	
Cross	Ignorant	Pants	Seized	Tails	
Debts	Image	Parts	Sends	Tells	

```
B U R N T A E D E N A E L E T T E R S
S T H G I N C X C N W O R F D N P E W
P F N O I T A C I F I T N E D I O C D
E I R V P N M O O S E G L O C A T E D
N R I E Y Y V R V M T C A X E G A I T
T D R R A L M O S T P I B M N A T L N
E C C N O S R M L P L A N E I C O I E
R S H U T C H A U V R E N G H H V N M
T P E C U A S E E M E A P I S I E G T
A M A G N E T S L Y G S N S M N N Y N
I A P N D P S L G Y I H R S G E S D I
N C R I E S E R A D T E S E W S N U O
M U M P R I N C E B I S E R V E S T P
E S E P S R L T I R E S S T E M R S P
N T L O T C O A D I E L I S O N E S A
T O B R A V E L Y E X N C K R I N K S
A M O D N A R L I F T S E T A D W I I
L P R P D I R T Y S R S R C I M O C D
H O P E S F I R E M A N P A S T U R E
```

Accompaniment	Crisp	Forms	Mummy	Spelt
Again	Custom	Frown	Nests	Spent
Alien	Dares	Geese	Nights	Spoon
Almost	Dates	Govern	Ovens	Stings
Answers	Dinners	Hopes	Owners	Stress
Ashes	Dirty	Hutch	Pasture	Study
Aside	Disappointment	Identification	Plane	Style
Behind	Ditch	Imagine	Potato	Tiger
Bravely	Divine	Involves	Precise	Tires
Brief	Drier	Label	Prince	Understands
Burnt	Drift	Leaned	Problem	Verse
Camps	Dropping	Letters	Random	Voice
Ceiling	Eagle	Lifts	Rinks	Voted
Cheap	Entertainment	Located	Sauce	Yearly
Chinese	Exact	Magnets	Scene	
Comic	Existing	Mental	Serve	
Crept	Extra	Metre	Shine	
Cries	Fireman	Moose	Smokes	

```
D E S U F N O C G N I K L A T D B A E
S K E E H C R U H C C C H A E N T R Y
O R G A N I S E S U C X E R D W U E F
C R A S H T T E H S P R I N C I P A L
L O C E A N A C I G H F S H I R T S E
O I L L U S T R A T I O N S B E U M E
S G K U N S E G A M I H C A A D O A T
E S L N T R A R M E D L I K S C R I S
R D R A W A R E P O C R I M E S E L E
P P E R S O N A L I T Y E B D D E S T
R H V K L S R T L E E O C S I D H U I
I T E N E B W H A L E M O N S S C P T
Z D F O U T E R T E O E M M T E S P E
E A E T F V E E S C G W M R I T D O P
S T T T R J E M L T A D A E I T Y R P
T E S E C B U A P R R W O N H K T T A
R S S D A A S M O O T H U L C C A E B
I A R T I S T S P N A R R O W E S D D
P L F L A M E S E S I A R E N T E D E
```

Acted	Cheer	Fired	Lunar	Scheme	Threat
Allowance	Chuck	Flame	Mails	Serve	Thrown
Appetite	Church	Fleet	Midst	Shirts	Tidal
Areas	Class	Fuels	Narrow	Shocked	Units
Aren't	Comma	Glass	Ocean	Sides	Whale
Armed	Confused	Great	Omitted	Smooth	Wired
Arose	Crash	Haunt	Opera	Stalks	
Artists	Crimes	Heats	Organise	Stall	
Asked	Dates	Higher	Outer	State	
Award	Disco	Illustrations	Output	Steel	
Aware	Dressed	Images	Personality	Straw	
Based	Drops	Immense	Possibilities	Strip	
Become	Easel	Jumps	Principal	Supported	
Beetle	Electrons	Knotted	Prizes	Talking	
Butter	Entry	Lemons	Raise	Tarts	
Cages	Excuse	Lodge	Rented	Tease	
Cheeks	Fever	Loser	Rocky	Tempo	

Puzzle 59

```
B O T H E R E D L O G N I Y D U T S G
S S Y L T N E G A S T R A I N E D R R
Y L L A I T N E S S E O C O M P A R E
L I A P C E L E G H M U I D O S G S M
A A S E E B A S T U O T L Y S T N E A
R R L U M S F E A S I E R G R H I V T
U E Q U I V A L E N T T S E U G T I C
L L H D G C B I A S K R A M L I N T H
P L E Y H L O V T S E C A R E S E A E
H A N R T O V I E S H N V P R E M T D
C M C O N C E N T R A T E D S I I N S
R S E G O K X G R A D E D A U S R E P
A L E E O R A N G E S R B S E I E S M
E E S T N E M E S I T R E V D A P E U
S W L A E S I S S K E E R E E D X R B
E E O C D V N M N K S E M S H E E P I
R J S E O A E A C A N A A S H O R E T
I E E M K L D L W W E U M E N D S R E
W W R E T A I C O S S A B L D A T E S
```

Above	Daisies	Hence	Older	Sheep
Advertisements	Dates	Human	Oranges	Shoes
Agent	Dying	Humble	Owner	Sights
Angry	Easier	Jewels	Parts	Smaller
Ashore	Elected	Living	Persuaded	Smelt
Associate	Equivalent	Loser	Plural	Snake
Beast	Essentially	Marks	Queen	Sodium
Bites	Examine	Masks	Races	Spine
Bothered	Experimenting	Matched	Rails	Strained
Bumps	Flash	Meals	Reach	Strap
Bunks	Geese	Mends	Representatives	Study
Cares	Gently	Meter	Research	Teach
Category	Glues	Might	Route	Traps
Clams	Grade	Mined	Rulers	Vessel
Clock	Grass	Movie	Seaside	Weeds
Compare	Guest	Nerves	Seesaw	Wires
Concentrated	Guitar	No-one	Sense	

Puzzle 60

```
G R E A T N E S S H T R O N E R V E S
Y S H N O K N A L B E C I U J E M S E
A D S I B R E A T H G L U E S V O R H
C A N A D A U T H O R D N A M E D U S
H O O V E S G N I K O L T A B L E N U
T R I T U N E S G P F A S R A V S I R
S B T G U W E R H I S E R N I E T O S
U A A L L I E S E H T D O T E T L N O
J R C Y M A I D R S G I A C X E E S T
D S I E S A E T W N T N M S L E U F U
A D N E S H A R E O F H I O R O R Q A
S E U C S E R C M I L R E G N A C N N
T E M A R S H E S T A L A R N D H K O
S W M T A E S E R A P M O C E I A E R
E S O B E T A C O L S I E F C I L Y T
R T C R L L A M S E S L L I M E K C S
O E X A C T O R Y R A S R E V I N N A
F A C I N G B L U S H A D E D D A T O
S L G N I K C O T S S A M T S I R H C
```

Abroad	Chalk	Facing	Locate	Rushes	Weeds
Accent	Cheer	Flaps	Marshes	Shade	Yachts
Actor	Christmas stocking	Follow	Mills	Share	
Added		Forests	Modest	Small	
Adjust	Clear	Forget	Mondays	Smashed	
Agree	Clinging	France	Native	Spite	
Aimed	Clung	Fuels	Nerve	Steal	
Allies	Coast	Glues	Newly	Sugar	
Anger	Communications	Grease	North	Table	
Anniversary	Compares	Greatness	Nurse	Tease	
Astronaut	Cream	Greens	O'clock	There	
Author	Cruel	Hasn't	Onion	These	
Blank	Demand	Higher	Piled	Treat	
Blush	Emotional	Hooves	Queens	Tunes	
Brain	Enemies	Ideal	Relationship	Unions	
Breath	Exact	Juice	Rescues	Usual	
Canada	Extra	Kings	Roads	Velvet	

Puzzle 61

```
R A G I C P D R A W A Y S A E R G S S
E Y T A B L E N R D D Y P S B E N P K
I T N K R P I O M A A F R U E G I A C
R P E S A M B I P R P H R A R N T I O
D M M E A O T S R L T D D U C I T N D
O E H L T I L A S O E E N H I S I I I
L C S F M O S C L N I T K E A T F C W
P E I I W S A C I N E A A L E A P E D
H O L S G L E O E D R I E M I D I B S
I U P H E N J D R T A L R E T G S E T
N T M U F S E X I T S S B T H U D R E
P P O O L T I D D S E O R R E I Y G E
A U C I E A A V E T A T S E R D D S R
V T C X S L R S R T H R O W H E A S E
E E A T T L K T S E T E M H A T E D H
D C F A I R L Y D E P P I Z S T R I P
T A L C A B L E S H Y U T R E A T A S
R K E P R E C I S E G T S E D O M M F
S G N I N E P O N I E S L E E P R S S
```

Accomplishment	Details	Greasy	Parks	Singer	Weigh
Adapt	Disarm	Grunted	Paved	Sleep	Witness
Admit	Docks	Guide	People	Sliced	Zipped
Animal	Dolphin	Hated	Pinch	Slows	
Array	Drier	Helmet	Ponies	Smash	
Aside	Egypt	Icebergs	Popular	Spain	
Award	Either	Itself	Precise	Sphere	
Boats	Elastic	Joined	Rafts	Stall	
Break	Empty	Leaped	Ready	Steer	
Burden	Erase	Limit	Riders	Strip	
Cables	Estate	Maids	Rides	Supervises	
Cheaper	Exact	Metre	Robot	Table	
Cigar	Exits	Modest	Scale	Talks	
Cloak	Fairly	Needs	Scary	Their	
Cloth	Farther	Occasion	Selfish	Throw	
Denied	Fitting	Opening	Sells	Tidal	
Designed	Fruit	Output	Sides	Treat	

Puzzle 62

```
S  R  F  S  Y  S  I  G  N  S  S  U  C  R  I  C  K  E  T
L  E  L  L  S  D  M  S  N  M  M  I  S  T  S  E  B  O  R
I  H  A  E  I  R  N  E  P  I  R  T  S  S  E  X  A  T  U
D  T  S  T  R  O  P  S  T  C  R  E  W  S  K  I  L  L  S
I  O  H  E  I  P  L  L  U  I  H  E  C  O  A  S  L  Y  T
N  M  E  L  O  S  A  M  E  C  L  N  B  I  M  T  E  O  P
G  S  S  F  Y  A  S  U  G  L  A  T  E  M  G  E  T  U  L
E  R  C  I  D  T  T  S  R  E  A  R  T  H  E  A  N  N  A
T  E  A  R  A  T  I  H  A  D  D  A  E  A  L  M  R  G  I
R  E  T  N  E  S  C  R  L  G  U  N  A  S  S  E  E  D  T
I  H  C  R  T  W  K  O  E  E  L  C  N  U  L  S  E  R  I
K  E  C  N  S  E  S  O  V  S  T  E  O  U  S  I  W  L  Y
S  S  G  R  E  E  K  M  E  O  I  I  R  E  F  F  O  R  T
Y  T  D  F  A  P  Y  S  R  D  R  G  C  I  E  A  R  U  E
R  K  F  A  R  E  A  S  A  A  N  A  N  G  S  O  L  L  N
A  O  L  A  E  R  S  I  V  I  L  G  N  I  S  D  D  E  I
C  K  N  I  R  H  S  Y  R  A  I  A  S  E  P  O  R  D  N
S  H  O  E  S  Y  E  B  P  D  R  O  W  S  T  I  S  I  V
T  R  I  A  N  G  L  E  S  H  T  E  I  T  N  E  W  T  B
```

Actors	Daisy	Kills	Plastic	Silky	Trust
Adult	Dignified	Large	Rafts	Skill	Twentieth
Alarms	Drops	Ledge	Range	Skirt	Uncle
Areas	Earth	Lever	Remembering	Sliding	Utter
Ashes	Edges	Lions	Resign	Solemn	Various
Athletic	Effort	Makes	Rifle	Sorry	Visits
Ballet	Enter	Metal	Ripen	Sports	Wiping
Birds	Entrance	Mists	Robes	Steady	Women
Bring	Essay	Mushrooms	Ropes	Steam	World
Cares	Exist	Ninety	Ruled	Stick	Young
Chest	Flash	Noses	Ruler	Stripe	
Cigar	Grant	Oasis	Scary	Sweeper	
Circumstances	Greek	Offer	Screw	Swell	
Circus	Heads	Other	Search	Sword	
Coffee	Icicle	Palaces	Shoes	Taxes	
Crews	Italy	Pence	Shrink	Total	
Cricket	Items	Plait	Signs	Triangles	

Puzzle 63

```
S  P  D  D  E  P  P  A  R  T  I  C  L  E  S  T  E  E  L
E  N  O  I  T  A  S  I  L  I  V  I  C  N  G  E  L  M  I
R  E  P  E  A  T  O  W  E  L  S  T  I  R  S  D  R  A  Y
T  T  U  H  T  R  Z  I  M  S  C  R  E  V  E  R  S  E  D
E  F  R  T  S  S  Y  V  U  E  G  A  M  E  S  I  K  R  O
M  O  Y  U  Y  M  A  E  R  T  S  N  N  L  L  N  N  C  Z
L  P  S  O  Y  L  A  S  D  Y  R  A  I  V  O  K  E  S  E
E  R  U  S  I  E  L  E  E  O  S  A  E  D  A  E  H  A  N
H  T  T  R  D  I  P  A  R  N  S  R  I  I  N  S  U  C  K
H  R  A  E  P  P  A  S  I  D  E  R  Y  L  M  E  C  K  E
O  S  T  S  I  L  R  S  E  C  A  R  G  O  E  A  M  S  T
M  K  S  R  I  D  E  E  Y  S  I  N  G  S  R  R  S  S  U
S  C  T  V  E  H  R  C  S  T  I  F  O  E  E  M  N  R  C
P  A  E  W  C  F  L  T  A  S  T  E  F  N  O  I  B  E  E
I  N  E  A  R  E  R  E  U  A  E  U  N  O  W  A  R  T  X
H  S  E  E  I  N  G  A  S  E  L  L  R  T  N  L  U  F  E
S  P  O  O  N  S  C  L  U  B  S  B  M  I  L  C  T  A  D
D  E  S  S  E  R  D  D  A  E  G  A  K  C  A  P  R  O  N
C  H  E  M  I  S  T  S  L  A  V  E  S  E  A  L  E  D  I
```

Acute	Climbs	Helmet	Particles	Sewed	Taste
Addressed	Clubs	Index	Peach	Ships	Tones
After	Cycle	Insane	Poets	Silver	Towels
Ahead	Diary	Issue	Press	Sings	Trailer
Alive	Donkey	Leisure	Purple	Slaves	Trapped
Appear	Dozen	Lesser	Races	Slips	Tripped
Apron	Dreams	Lists	Rapid	Snack	Twins
Aside	Drink	Mending	Reeds	Sneak	Urban
Beasts	Endings	Metre	Reins	Solid	Usual
Broom	Execute	Mists	Repeat	South	Wives
Canvas	Foggy	Murder	Reversed	Spoons	Yards
Careful	Freed	Nearer	Rooms	State	Youth
Cargo	Fries	Needle	Sacks	Status	
Causing	Games	Notice	Sails	Steel	
Chemist	Grace	Officially	Scream	Stirs	
Civilisation	Greasy	Often	Sealed	Stream	
Claim	Grins	Package	Seeing	Syrup	

Puzzle 64

```
L R W S T N A C I F I N G I S P O R C
T A I R I S H E E P S E I R A R B I L
A T N A C R P T U D E V I D T E S S A
C C D E M O R A N G E A R S R T E M S
R E S T S O R E D R R F P R O T R O P
O N C A E D U R E E T A I R H Y V O E
S E R M R N E T E D N E E N S R E R C
S R E I I U T E H S S T E L I O R H T
I G E T A O E R S T P M A W S T S S N
N Y N S H M C S A U S O I L S S E U A
G O I E T A I O U N G G N I S S I M L
C D E L R A L D Q M C N N D T I A L P
E L E E I F B T S S A E I I I G S Y T
S M D S L R U L E T U L F C R N E R F
S S S E A B P R I R O N S O A A G R I
A U S N E C O A T S T E W I X L A O X
R H G S C R E W S H H N L A D E P S I
G E C H E E S E S S E E E L V E S E N
S A N A L Y S E A R R R D C A K E S G
```

Across	Crossing	Gears	Observer	Screws	Sweet
Amuse	Definite	Goals	Orange	Seeds	Tears
Analyse	Dental	Grass	Other	Sheep	Treat
April	Dived	Grown	Owner	Short	Trees
Argue	Doors	Heels	Pages	Signal	Tubes
Ashes	Elbows	Hotter	Pedal	Significant	Verse
Aside	Elves	Irish	Placing	Smelt	Windscreen
Aspect	Energy	Irons	Plait	Snail	
Berries	Entrance	Lanes	Plant	Snaps	
Cakes	Established	Libraries	Pretty	Soils	
Cared	Estimate	Losses	Public	Solid	
Centre	Fixing	Midst	Ranges	Sorry	
Cheese	Flesh	Missing	Reeds	Spade	
Coats	Floats	Mound	Rests	Squash	
Continue	Flute	Mouth	Rings	Store	
Corresponding	Foxes	Mushrooms	Roses	Story	
Crops	Further	Nectar	Russia	Swamp	

Puzzle 65

```
D C O N G R A T U L A T E D S E T A D
E I S A S P A A P P L Y I N G A S E S
O G T I M E S C P R O L L E D E I R C
T A A L E M A C E O O A S E O N A C O
E M B S O U A A R S H T T D F O W D M
V S L K P S C D I C S I D U A A R E P
R B E H E H E G N E D I G I R E S L A
E E S S I R L I N T S E R C A N R I R
S T E E R O P E S I E R N M A R S H A
A T V L T O M D D R N A E I H E F W T
D E S F B M E A C E V I R D U O O A I
M R P O D E T R O S K C A S R R T I V
I A I V S E A T I N G L S M K A G E E
T L R H S F H S N A A I A E E U H G L
S G T M T E E B S N T L R T L R N T Y
E A I S R M O V I N G S E L F I S H A
M W I Z A R D S T Y L E S R K A M G D
S H I N E S T I N G I N G A T L H I O
R A N D O M E S I N V I T I N G Y S T
```

Achieve	Crest	Limit	Races	Solid	Today
Acres	Cried	Lying	Rafts	Sorted	Trade
Admit	Dates	Magic	Random	Stables	Trips
Afraid	Domes	Marsh	Reach	Stair	Turns
Alert	Dream	Maths	Remaining	Steer	Upper
Apply	Drive	Miles	Rigid	Stinging	Vetoed
Awhile	Eating	Moving	Rolled	Styles	Waist
Better	Flesh	Mushroom	Ropes	Swims	Wizards
Boils	Formal	Nails	Ruined	Taking	Workers
Bored	Gases	Names	Sacks	Talked	
Camel	Glare	Nanny	Safely	Tears	
Canoe	Gulls	Nesting	Selfish	Temple	
Cases	Harder	Nests	Serve	Third	
Coins	Hotel	Order	Shaft	Threads	
Comparatively	Inviting	Other	Shines	Times	
Congratulated	Issues	Pinch	Sight	Tires	
Craft	Italy	Poems	Smoke	Tissue	

Puzzle 66

```
D E S N E S T S T Y L E O B L U E S O
E S W E E T S T E A D I L Y G O R S U
N R O Z A R C T N M N E U N K N O W N
W S R I D E R E E T S L I N E D R S C
O D D E P A R T M E N T S R U B R S E
V N N S I M H E Y E T T V C O A E W R
E A O L I O N S A I S E K G T N T O T
N R I B D T P T N E S S C I R N S R A
P B T I S A L K Z W L U O A I E D R I
T M A R R Y C I L E A V E N R N E A N
F A C T L E S S O N E Y E I E T S N H
I C I H D M Y S B E S T E S B E C U S
G V L L E T E I M P I S R S B R R L L
U A P T S S E N Y E A E G W U T I E L
R G I A A E T G S M G S A E R A P W O
E U T E E U R S M N T C A P M I T O D
D E L D L S N O I T C U R T S N I V G
L P U M P S C S H M S G N I N E V E E
E A M E N I C A T C H I N G I D E A S
```

Agree	Elves	Lesson	Ounce	Sizes	Vague
Areas	Enemy	Lined	Owned	Steadily	Vowel
Arrows	Entertained	Lions	Pleased	Steer	Woven
Birth	Evening	Lodge	Pleases	Stream	Yawns
Blues	Figured	Loose	Prospect	Style	
Brands	Green	Lunar	Pumps	Sweet	
Burst	Gypsy	Mails	Ratio	Swept	
Catching	Hadn't	Marry	Razor	Sword	
Chests	Ideas	Method	Rider	Symbol	
Chores	Impact	Mists	Rubber	Tails	
Cinema	Instructions	Multiplication	Seals	Tasty	
Commas	Irons	Narrow	Seize	Terror	
Department	Issues	Neatly	Sense	Trace	
Descriptive	Items	Nerves	Series	Trail	
Dolls	Kissing	Nests	Settle	Traps	
Ducks	Knitting	Nineties	Singer	Uncertain	
Elder	Leave	Ointments	Sings	Unknown	

```
G N I K C O L O N I A L U N A R G U E
U T H S L A O C R A S H E D I A R Y S
E N O T U S M M A H S A C R E D O H U
U T I S W A A E E A R I C D N U O P M
D N U O R G Y A L P E R U T N E V D A
E O L C N M B C T P A S H N S T E S R
M L H I A I E G H Y D E B R O S B A S
A H F T M R O L O E Y H X M S D S I H
N Y H H E K A N S D S C A P T H D D E
D S F T S M S C E L T T O B E E A E S
S P S O R A U W I T O I S S P C O P D
R A Z O R E O M S G L W F S A A T O R
F I F T H R T E M E A F E L L E R L E
P N L F R C L E D Y U M L A I P L C S
I F A A T L A S L P O E R E G N A Y S
C L N T A L L E R H D U U S S L T C E
N O I T A C I L P I T L U M K A E N S
I C F Y L E V I T A R A P M O C R E O
C K L M O D E R N E V E R W I N T E R
```

Absorbed	Coals	Final	Maybe	Puffs	Tomato
Acute	Colonial	Flint	Method	Razor	Tooth
Adventure	Comparatively	Flock	Modern	Ready	Union
playground	Costs	Groove	Multiplication	Roses	Usual
Alive	Crashed	Hairs	Mummy	Sacred	Winter
Allows	Crayons	Happy	Named	Scrap	Witches
Amuse	Cream	Homes	Names	Seals	
Anger	Demands	Informal	Narrow	Shoes	
Argue	Diary	Later	Natural	Snake	
Ashes	Dresses	Learn	Never	Sneak	
Athlete	Eagle	Locking	Nodded	Spain	
Atlas	Encyclopedias	Lunar	Oiled	Spoil	
Bottle	Erase	Magic	Onion	Taller	
Called	Expect	Magnify	Peace	Tallest	
Camel	Faster	March	Peach	They'd	
Chests	Fatty	Marshes	Picnic	Those	
Clash	Fifth	Maths	Pound	Toads	

```
E  K  V  E  S  S  E  L  A  S  W  A  T  E  R  S  B  S  P
D  M  C  D  S  E  L  G  N  A  G  N  G  I  S  E  R  H  P
R  W  A  A  L  Y  G  L  O  R  Y  R  N  E  C  T  A  R  T
P  E  O  C  R  S  B  V  I  T  A  M  I  N  S  S  N  O  A
R  L  S  R  E  T  O  C  T  H  R  R  D  A  E  R  D  Y  W
A  U  A  R  C  B  U  E  C  J  O  I  N  S  E  A  L  P  F
M  M  E  I  L  G  O  A  T  S  D  U  S  Y  D  R  O  U
S  H  O  R  T  S  H  Y  S  D  E  A  O  I  A  E  R  L  L
Q  U  E  U  E  S  T  T  N  T  C  R  P  S  T  B  A  I  Y
U  N  R  N  S  D  S  E  N  O  T  E  S  T  I  C  K  E  R
I  A  U  S  L  I  M  I  L  D  L  S  Y  D  S  E  L  I  T
L  M  G  E  X  P  O  R  T  E  T  O  D  I  S  A  R  M  N
T  U  I  E  S  P  L  I  P  U  P  E  C  S  U  T  N  D  E
S  H  F  N  P  L  A  I  N  S  N  H  T  M  E  I  U  D  S
S  J  A  A  I  D  T  T  D  S  A  L  O  U  S  N  H  M  S
U  P  S  E  T  C  E  E  O  I  E  V  A  N  N  G  O  O  P
S  I  X  T  H  Y  K  D  N  M  E  C  S  W  E  I  R  D  E
D  E  K  O  W  A  B  E  N  D  S  H  T  A  P  E  N  C  E
T  H  U  M  B  A  T  H  L  E  T  E  A  S  E  L  S  G  K
```

Action	Colony	Hills	Pence	Sands	Tones
Agricultural	Crowd	Horns	Phase	Sentry	Track
Angles	Dares	Human	Pitch	Shield	Tuning
Arose	Disappointed	Insect	Plains	Shorts	Unseen
Assist	Disarm	Issued	Plait	Sixth	Upset
Athlete	Dread	Joins	Pounding	Snaps	Vessel
Atoms	Early	Keeps	Prams	Sticker	Vitamins
Awful	Easel	Likes	Pretty	Stories	Walnut
Awoke	Eating	Marry	Pupil	Stump	Waters
Baked	Ended	Melts	Queues	Stunt	Weird
Became	Exists	Mends	Quilt	Tease	
Bends	Export	Moved	Reads	Telephone	
Bought	Figure	Muscle	Recites	Thumb	
Brand	Forbidden	Nectar	Resign	Tiles	
Causes	Glory	Nickel	Resort	Tissues	
Chain	Goats	Notes	Sadly	Toast	
Charge	Here's	Paths	Sales	Today	

Puzzle 69

```
S T R E S S L L U G I S S L A U Q E N
M E A N T W N E P O I N T I N G P C R
E K D S S P I N S D P S E I P O I I T
D C E T C E F F E X P E R T L H N N W
I I Y A R D S N T H E D N A L L O H G
T T O N O I T A T E R P R E T N I T R
E S R U N I F R G I F A A L D S T E O
R E T R F U O T F Y O S D D K L N S C
R M S I I F S T A L R T A E F E E E E
A O E N E I S N P N M E R R C B M L R
N D D N X T I C O E A S A S E A Y C Y
E I C E R H L I H V N N I S S L R R A
A E S O C E T T K E C N A R T N E I W
N L S P O I L C S E E R I B P I I C N
L I V E D R M R U L E R S E Y T F O S
E M G N I K R A B M I L C N S S I F J
G S O H A R S H L T A A S O U T P U T
S C O U T L A V A N I A R T A S T Y H
B E A R D E R U T C A F U N A M I N G
```

Aging	Entrance	Harsh	Opened	Sleek	Upset
Arctic	Equal	Holland	Output	Smile	Whiskers
Banana	Erase	Identified	Paste	Sorts	Yards
Barking	Ethnic	India	Pennies	Spins	Yawns
Beard	Evenly	Interpretation	Performance	Spoil	
Cheer	Exist	Joins	Photo	Stars	
China	Expert	Labels	Pointing	Stern	
Circles	Fence	Lived	Polar	Stick	
Climb	Fiery	Manufactured	Prism	Stiff	
Condition	Forth	Meant	Raced	Still	
Decimal	Fossil	Mediterranean	Radar	Stress	
Destroyed	France	Mention	Rails	Sunny	
Devil	Frost	Naming	Rulers	Swift	
Domestic	Gases	Nation	Scene	Tasty	
Drift	Grocery	Naval	Scout	Their	
Effect	Gulls	Night	Sixes	Ticket	
Elder	Gypsy	Nurse	Slant	Train	

Puzzle 70

```
C R E A T I V E L F I R G N I Y T B L
I E M A I G N I R O B N E F E A R S T
G I Y F S E R U T L U C K Y R E I N S
A G H E A T E D R L W A R C A E A O R
M N R I C R E O C O O D A D U L T R O
S I L K S I S R R W U A T R S R S P T
T T S K A E R B N E L T T A C S V A C
R A C E S H I P S D D E I I S O E E O
E L E A D T N E V E S S C N S P M U D
S U I R U I K S L O C A T E E E A M G
S T E T T S S Y G R O U P R H R K C A
E A G E N T E A D E S E R T R A C E E
D R I V E U A D N E E U Q E A T I P A
E G M A Y E S A E A N L N S P O T U S
R N M T L P T W P N I W H K R R S M I
A O F T E N F O I A O L O E I O O P E
D C I A R U I N E D R V S R L N O E S
A T K C E A G A I N S T E V D P D D T
R S D H M E S S I N G L E L I M S S Y
```

Adult	Crawl	Fears	Often	Routine	Stick
Against	Creative	Followed	Operator	Ruined	Stressed
Agent	Cultures	Gifts	Orbit	Running	Their
Apart	Curved	Group	Owner	Secure	Theme
April	Dared	Guess	Peaks	Senior	Tires
Aprons	Dates	Heated	Price	Seven	Title
Aside	Desert	Helps	Pumped	Ships	Trace
Attach	Dessert	Kinds	Queen	Sides	Treat
Attic	Doctors	Layer	Races	Silks	Tying
Boring	Doors	Locate	Radar	Single	Unkind
Bread	Drain	Lucky	Reign	Slant	Until
Breaks	Dread	Magic	Reins	Smile	Would
Cattle	Drive	Merely	Repeat	Solve	
Caused	Drowned	Messing	Rhyme	Space	
Clung	Easiest	Nails	Rifle	Speak	
Comma	Eastern	Novel	Rinks	Stair	
Congratulating	Event	Nowadays	Roses	Steam	

```
E A E C L Y I N G C A T T I C S S O A
T R U H O L I D A Y S U S U G A R D P
U M E E A H R G R A Z E T D N G I E R
H E U S N C A L L E D R N O I D A R O
C D Q T O I I U N I O N E E T M P A N
A I U R I R E D N H D L M N C O V E R
R E A A T D T M S T Y E E C A K E F O
A V L C A S E P Y T S M S D U R S I N
P A I A R T S D S H E H I C G R L A I
M L T M T R P P A L R S T A T E L Y M
U F Y P S A U A E V A I R R D I S Y D
L A Y I I P Y T S A N R E E K L L S E
P I T N N C O T H S R I V E P R P Y F
Y L S G I I N S W I I S D R A A L A E
B S U O M E N T E R N O A E L E H T A
B M R R D R A T R C G K N F R O E S T
O E Q U A L M C H E A P L A U S A C U
H E T B A L E R T E M R R R L A R U R
A S L E E P S U P P R E S S E S S E E
```

Acids	Casual	Green	Nasty	Races	Students
Acting	Cheap	Haunts	Nearly	Radio	Style
Administration	Chest	Hears	Necks	Rarely	Sugar
Advertisements	Cover	Heroic	Ninth	Reign	Suppress
Agree	Curly	Hobby	Oiled	Resort	Tarts
Alert	Defeat	Holidays	Pains	Rhyme	Think
Alike	Earlier	Hours	Pairs	Richly	Threw
Annoy	Edges	Invaded	Parachute	Rural	Types
Apron	Element	Irish	Parts	Rusty	Union
Armed	Enter	Ledge	Passion	Seems	Upset
Asleep	Equal	Liked	Pears	Shape	
Attics	Fails	Lying	Peels	Short	
Barns	Feared	Medieval	Plump	Sleeps	
Called	Feature	Metre	Plurals	Spear	
Camping	Flaps	Midst	Presses	Stately	
Career	Glide	Minor	Quality	Stays	
Carts	Graze	Names	Queue	Strap	

```
K K N E E S I G A U G E M A R K E D C
A C C I D E N T A L L Y S B A S I N O
D O E C N I S I D E S S O S A E N E M
I H N H D G R I A E O K M U I D O S P
S S E N C N V E D R Y C O I T I G E O
C L A S S I F I C A T I O N X H D E S
U H A T D K V B R T N K R E A A S G I
S A C E S I Y P O L E S B G L T N N T
S R D A D L I G R O W L E D E I J E I
S E T M E C L O S E T T E E R U R Z O
D N V R N T A A C H S S P A R W E E N
E T U I P E R E H W O N E I D E W E S
R S C F L E G S I S U P N Y R A R R A
E S S N P I E F N M P G S G R V L B I
F A H O E H T W E A N F A A E I G A S
F R A C S W O R S H I P D U T N A L S
O G R A B S O I E R L A V A N G D F U
T S E I T U D S S R T O G E T H E R
E P A H S E T T L E R S T O N E S H D
```

Accidentally	Cross	Growled	Operas	Shops	Wraps
Agree	Deals	Halls	Pedal	Sides	Wrist
Aren't	Direct	Handing	Picnic	Since	Youth
Ashes	Disappearing	Hides	Poles	Slant	
Aside	Discuss	Injuring	Radar	Sodium	
Aunts	Divided	Kicks	Rains	Steam	
Badge	Divides	Knees	Relax	Steep	
Basin	Duties	Large	Rings	Stone	
Boots	Ended	Liking	Russia	Surely	
Breeze	Enter	Litres	Salad	Sweep	
Broom	Fairy	Lives	Settee	Swift	
Check	First	Marked	Settlers	Teach	
Chinese	Gauge	Naval	Sewed	Together	
Classification	Geese	Nerve	Shall	Tones	
Close	Genius	Nowhere	Shape	Twenty	
Compositions	Grabs	Numerous	Share	Weaving	
Confirm	Grass	Offered	Shock	Worship	

Puzzle 73

```
Y R A C S S E D A P S D I S A R M E D
T R E M B L I N G U A R D S G C W I R
A I D E A P O L C Y C N E L R A C E D
S T U D Y N E V E N U A C A I S T K Q
S T N E M N R E V O G V A R C T I U G
I A E S D O A X W E S A D T U L I N E
S D S I A T Z P R S D L E U L E I H N
T S N R O H O E T M N E D E T S U R T
A G E E X E R C I S E S D N U R H S L
N N D S T R S T N E T F O D R E A M E
T G N O I T I S O P X S C Y A E D D T
A C C O M P A N I M E N T H L T N S E
S L T N A L P S F E T G O O S E E N L
M E R P A T T E D E A R R U O V T W E
A V R N K A L E L T T A R S L R N O S
R O I V N D E A E I I C D E P P I R C
T H N D E P M M A N M E H O N E Y G O
C S K R E B P S N G I S E R A S E S P
C E S R S O I L E D G E S T U R E D E
```

Accompaniment	Dunes	Hasn't	Other	Shovel	Video
Added	Eager	Honey	Patted	Smart	Wounds
Admit	Edges	Horns	Plant	Smile	
Agricultural	Elder	House	Position	Spades	
Aren't	Encyclopaedia	Hurry	Quiet	Speed	
Assistant	Erases	Imitate	Raced	Stand	
Attend	Exercises	Intend	Races	Study	
Castles	Expects	Killed	Rattle	Sweep	
China	Extends	Knees	Razors	Telescope	
Crust	Fetch	Lambs	Resigns	Tempo	
Decade	Gentle	Least	Rinks	Tents	
Deeper	Gesture	Lending	Ripped	Trade	
Dense	Goose	Meeting	Roots	Trembling	
Desires	Governments	Naval	Sandal	Trusted	
Disarmed	Grace	Neutral	Scary	Uneven	
Doctor	Grown	Often	Serve	Using	
Dream	Guards	Oiled	Shelves	Utter	

```
D  R  I  L  L  E  G  G  S  L  S  S  W  H  U  S  H
Z  E  N  T  E  R  N  D  I  E  A  W  H  H  U  G  E
I  R  R  H  G  I  R  V  A  N  S  S  A  H  W  R  A
N  A  M  E  R  O  E  E  Y  S  I  E  T  M  R  A  N
C  Z  M  S  L  O  V  E  R  W  H  E  L  M  I  N  G
W  O  M  E  N  N  E  E  D  M  L  K  L  F  T  R  R
C  R  E  W  M  B  A  M  R  A  O  L  V  P  E  A  I
A  O  F  B  R  I  L  O  N  N  E  B  A  L  R  G  E
G  I  L  A  O  C  N  O  C  Y  E  D  E  A  A  R  R
L  R  O  D  S  A  I  D  W  L  A  D  S  Y  I  I  C
O  R  A  L  E  T  Y  S  T  N  O  M  U  G  S  C  D
N  L  T  Y  I  S  O  P  O  N  N  A  N  R  L  U  E
G  O  L  D  A  N  T  P  U  K  C  M  K  O  A  L  L
E  E  A  E  A  S  E  O  C  P  E  M  H  U  N  T  O
R  R  E  A  L  E  N  O  H  E  I  A  U  N  D  U  S
T  H  A  N  K  S  L  R  U  N  S  L  T  D  I  R  T
T  A  K  I  N  G  E  T  U  S  K  S  S  V  I  E  W
```

Adapt	Eggs	Laid	Once	Self	Writer
Agriculture	Else	Last	Oral	Stop	Yell
Angrier	Enter	Lens	Overwhelming	Sunk	Zinc
Arms	Envy	Line	Pens	Swam	
Badly	Evil	Lock	Playground	Taking	
Blown	Float	Longer	Poor	Thanks	
Cart	Glad	Lords	Pupils	Thee	
Cats	Gold	Lost	Razor	These	
Cloak	Governed	Mammals	Real	Thus	
Coldest	Gran	Many	Rely	Touch	
Come	Gray	Mind	Reveal	Traditional	
Crew	Huge	Moods	Ring	Tusks	
Dash	Hunt	Mugs	Roar	Vans	
Dirt	Hush	Name	Rose	View	
Drill	Huts	Need	Runs	What	
Ease	Island	Noun	Said	Wish	
Easy	Keep	Obeys	Seek	Women	

```
Y R R A C E S E L O H D E G G U R C H
A P U R Y S E A R I S E X H I B I T N
C O U R T W I S T T R S A A T T E N D
G R B S V E T R I U M P H A S L E E P
I C E S N A I L E D P A A P U T I M D
N N L W Y T L I V E S I O T R R C A S
D S O O S E I U N F U R N I T U R E E
E D W I S U B J E C T A A S R E T L P
P E X S T E I O G S I S E V S H R G O
E E N E R A S I N G H P E A O H M N L
N R W U A N N N A I A S O S G I E A S
D U O L C E O T R C O G E T S R D L H
E Y L B E M P T S E V N I T T O E E F
N A B D M V S E I T D O S E E N L E D
C S S O I A E L W O B L Y T E E O Q D
E L C E O O R L L W N E O R L D O U E
R L W R L L P I L E D B D B R E C A A
M E D I C I N E S R S H O P S U N C L
D T I N J U R I E S D W D E E R F K S
```

Agreed	Court	Happen	Needs	Shelf	Twist
Angle	Crews	Holes	Nests	Shirts	Value
April	Curve	Independence	Notion	Shops	Viewed
Arise	Dares	Injuries	Obeys	Slopes	You're
Asleep	Deals	Invest	Older	Snail	
Attend	Debts	Ironed	Onions	Sports	
Avoided	Despair	Items	Pattern	Steel	
Belongs	Easel	Joint	Peels	Still	
Below	Elbow	Knelt	Piled	Subject	
Blown	Erasing	Level	Quack	Syrup	
Blues	Escapes	Lives	Races	Tells	
Carry	Exhibit	Loses	Range	Those	
Carts	Exist	Losses	Reeds	Topic	
Close	Freed	Medicines	Responsibilities	Towers	
Cloud	Furniture	Mists	Roast	Tried	
Common	Furry	Nailed	Rugged	Triumph	
Cooled	Giant	Nation	Sells	Trust	

```
P D E L L A C E R A S E C C O A C H S
K I S S I N G N I M R A S I D E A G T
E S R U P R E F I X A C A E S T N S S
G P E R S T I L L R R H T S C U N O I
N I N A T R T D T A U R L H L I M I T
I H W T I E H X E Y B I A H O E P D N
Y C O C C S E S S S B S S C O M E S E
T T R E K N R H A M E T H N F P A P I
K N F N S I A S E A R M E D P A E H C
C I E O A C T T A L A S O A S I S S
H E L P L E S S D U L S H R F O U R S
S W D O S R O E F S N S E B E V U O Y
E N E H G· U O T K E L T C I E G D U J
K E R R T R H N E A S O I T S E V N I
C D A H H G A A E A V C V L D P T D F
A I D N I T E M P E R K A E B L U S H
N C O L D E R R R P S I E P L A B E L
S E E U R O P E A N Y N N S E Y E U L
A D M I R E D G O I N G U G I S S U E
```

Admire	Decide	Heals	Meals	Rubber	Tests
Armed	Delightful	Helpless	Music	Scientists	Threw
Ashes	Disarming	Hopes	Nectar	Seats	Toughen
Asleep	Either	India	Needed	Shopped	Trade
Atlas	Erase	Insert	Nicer	Snack	Tubes
Blush	Escapes	Invest	Oasis	Someone	Tying
Chase	European	Issue	Orbit	South	Unseen
Cheap	Extra	Judge	Owners	Spelt	Until
Chips	Fairy	Kilogram	Pairs	Spent	X-rays
Christmas	Fours	Kissing	Paste	Spices	You've
stocking	Frown	Knees	Peels	Stare	
Coach	German	Label	Plays	Still	
Coins	Going	Limit	Prefix	Stunt	
Colder	Grain	Lipsticks	Purse	Tanks	
Comes	Happy	Lofty	Recalled	Tearing	
Covered	Harms	Lovely	Rides	Tease	
Dared	Hatch	Lungs	Rounds	Temper	

```
E X P E C T W C L T F T D L U O H S P
L Y L H G U W I A Y I H P L O C O S A
S T A I R D B V N M I G B E E C O M R
D R Y I N G E I A G E N E A W A K E T
M I S S I L E L C I S L G R A S S E S
O E D U L C N I N V A D I N G I C S D
O X C E W B A S K E T I N S A O R P R
N I W H A H A E E N E V S R T N E S C
S S I Z E S I D Y T L E P S L E E H O
H T H G I E O T H O L D R I L L N A M
I R T D U P S N E E I R D S P E N D M
F A E E P A I E H S T E A L R F F Y A
T E C R A C S T G S E L A G R E F Y S
C H E C K S R R A D S T E I T N U T S
M S T S N E E Z E A E C E I O A T E H
S E S W V A L V E S A S T R A T S N A
D A R E T H T R A E B L O W S T E I K
E C N E S B A P P R E C I A T I O N E
S T A T E E L B A T R O F M O C N U N
```

Absence	Commas	Great	Oppress	Spelt	Untie
Acted	Cubic	Heart	Parts	Spend	Valve
Appreciation	Dived	Heels	Peace	Stair	White
Areas	Drill	Hooks	Peels	Starts	Wings
Aside	Drying	Ideas	Plates	State	
Asleep	Earth	Include	Plays	Steal	
Attic	Edges	Invading	Praise	Strap	
Awake	Eighth	Learns	Satellite	Stuff	
Basket	Escapes	Ledge	Scarce	Stunt	
Begins	Ethnic	Listen	Screen	Sweet	
Blows	Event	Locked	Seems	Swell	
Camel	Exist	Lying	Shady	Swept	
Canal	Expect	Missile	Shaken	Tease	
Charm	Fries	Moons	Shift	Tiger	
Checks	Gales	Nevertheless	Should	Title	
Cheese	Given	Ninety	Sizes	Toast	
Civilised	Grasses	Occasion	Sneeze	Uncomfortable	

```
D M A S T T K Y T S U D I S A R M S G
E P I C N I C E R D R A C E D E T L N
T O W E R G M Z I N D O O R S G N E I
A S V N C N A I L A T I N I I A D V V
T E A T H O T E L S C H V W M E I A A
S E T O A R F S U E M I E O U R D R S
E S R Y R E I F S S M A R S H E S T R
G N I K A B E A T S S I S C E A H E A
A A A G C B R N R A G I A H L G V E E
T K L O T O L E A P S N T R I E S N H
O E O D E R I H T B R A I N N N D N F
M K R R R D R A I N L U O V A T N Y I
S H A O I E G S O E E E N N I L O L E
D S N C S R N E N K K I S G S L P O L
E A G K T S R N S A N W L O S E R N D
X L E E I A E T I T E P P A U U S O D
I C E T C E X U N R E B S M R E T T U
T H O S E R V E G E S E N A P A J E P
S Y T I L A N O S R E P L Y H A N D Y
```

Agent	Didn't	Hears	Never	Roman	Taken
Alien	Disarm	Hired	Nicer	Rungs	Tarts
Answer	Drain	Hotel	Night	Rural	Taxes
Appetite	Dusty	Ignore	Noted	Russian	Terms
Areas	Eager	Illustrations	Nylon	Sands	These
Atoms	Eagle	Indoors	Orange	Saving	Those
Baking	Edges	Inner	Passes	Scare	Tissue
Beans	Enable	Issued	Personality	Scent	Tower
Beats	Enter	Italian	Picnic	Seize	Travels
Borders	Erase	Japanese	Plant	Serve	Trial
Brain	Estate	Knees	Ponds	Seven	Tries
Characteristic	Event	Latin	Puddle	Sheet	Utter
Circled	Exits	Leaps	Raced	Sings	Wires
Clash	Field	Limit	Reply	Smash	
Conversations	Fiery	Living	Roast	Snake	
Cooks	Guess	Loser	Robber	Stated	
Cried	Handy	Marshes	Rockets	Steel	

```
L L A H S C O P I E S C A P E D S R N
F E D E L L I R D T R A F F I C E A U
E N A M K R O W N E R B L O O M K B P
E V I T A T N E S E R P E R C E A B S
E A O A H B E T R A Y L E T D U H I I
O R O M D E T N I O P P A S I D S T D
R Y A D E M R I D G E X A M P L E E E
G I H S E R I E E L C N U U A N G T D
A N A H E P E R S O N S Z N D D N E T
N G U T I D O R I U A Z D S E U S R E
I Y N S S R E R A N L S T H O S E X K
S U T T U T E L G I G T G M E L T S C
A P S S S G D D N N R U A R A R R S I
T P I A U T N G A O O E P U E R E S T
I E M L A R A E R C E M T M G A S E S
O R A U L W L R P U O C E F R L P H A
N R G C L C E M S C A P I T A L O S L
F L E S H P R S N A M U H E L O N A E
A B B R E V I A T I O N S E K C D R S
```

Abbreviations	Crest	Hired	Plump	Spill
Actual	Disappointed	Human	Puzzling	Sprang
Admiring	Drilled	Image	Rabbit	Stair
After	Earth	Ireland	Regular	Stars
Alert	Edged	Islands	Remove	Stick
Amount	Elastic	Issue	Representative	Teach
Annual	Erased	Large	Respond	Tends
Ashes	Error	Lasts	Result	There
Aunts	Escaped	Leather	Rides	Those
Betray	Example	Marsh	Ridge	Ticket
Bloom	Extreme	Master	Roped	Traffic
Capital	Flesh	Melts	Rusty	Uncle
Clean	Focus	Naked	Score	Upper
Collar	Forts	Nests	Seals	Upside
Compressed	Germs	Organisation	Shakes	Usual
Copies	Glance	Owner	Shall	Varying
Coughed	Haunt	Persons	Shook	Workman

```
S T A L L P H E N A B L E S S I N G W
C K P R S H E E L S L L O A V E S S O
S C I I I Y S S R E G I T S I X E R R
R A R E P S I H W B V D E G R A P E S
O C T A S I E Y O U S E A N A C X V E
O U S Y B C T C N T N T N I N T H I L
D T N U T S W I N G S C D T R I A L G
E E D S A S Q U I R R E L A S Y S E N
C Y N N E U A J R E P L D E F E N D A
R L D I E E T T S O D E U S S I O D T
O B E O A T N N L E A S T U S H I R T
C I G C A R X C E S T T W N L V T E E
O R R L B A Y E S D R A T E I V O S N
D R A O A C V T D E I E R V A W M S D
I E H S N E S R E C I F F O N R E N I
L T C E N A L P E A D E N E P O Y E N
E S G L I G N O R E D D D O R A C T G
E A Y Y N E W E R P T E N E C S V A S
S H A G G Y S K R A B S H Y O U V E B
```

Acute	Crocodile	Exist	Officers	Soviet	Venus
Agency	Dairy	Extend	Opened	Squirrel	Vivid
Alien	Defeat	Extra	Owned	Stall	Weary
Angle	Defend	Grapes	Paste	Steer	Whisper
Arise	Delivers	Haste	Peace	Strip	Worse
Attending	Doors	Heels	Physics	Stunt	You've
Aunts	Dress	Herbs	Plane	Swear	
Bacon	Eaten	Heroes	Rained	Swings	
Banning	Eleven	Ignored	Reeds	Tasty	
Barks	Emotions	Issued	Refers	Terribly	
Blessing	Enable	Juicy	Scene	Tigers	
Charged	Encyclopedia	Least	Seating	Trace	
Closely	Endings	Loaves	Selected	Trial	
Coins	Evaporates	Nails	Shaggy	Tubes	
Confident	Evenly	Nasty	Shirt	Uncles	
Crabs	Events	Newer	Shots	Unique	
Crisp	Exact	Ninth	Skies	Unseen	

Puzzle 81

```
D E N Y M L O U D L Y S T S L I D P O
E B O R G A N I S M R I L S Y K E E W
S N I W O I R M W E M A G E D A E H G
U F T A A D O I W O V E L D E R D E R
A R A R E A S O N E L T N I I P N R I
P S N N N Y T A R E H P O S O L I H P
T B I B Y L C Y N G O R N A H O F E C
S I M A I L A S I K D T M C T A E L H
I I R U O A G N E E D S N S E L T M A
L P E V H U O E R S R I A T S P U E N
S T T O O T H S I D A F P N T L O T C
T D E S E C O N D S I V I A L T R S E
A E D D K A M U S E W S L A D I T O S
Y N L I D N E T G U L L C N T F I R D
S A P L A Y I N G L I I U O I A O E I
J E W E L A I S I P D O D W S O G A A
N L L A B H E F S G B N S L D D J O M
S W E E T S M E L T N S N A E J U R Y
Z O N E U N O I T A T E R P R E T N I
```

Acid	Determination	Idle	Maid	Robe	Thing
Acts	Dial	Inch	Mail	Rods	Thumb
Actually	Discos	Indeed	Marine	Sank	Tonight
Aged	Drift	Inks	Men's	Seconds	Tooth
Amuse	Edged	Interpretation	Moan	Sews	Towers
Asia	Elder	Isn't	Needs	Slavery	Trout
Aside	Engine	Jeans	Omit	Sleep	Upstairs
Away	Fast	Jewel	Orders	Slid	Uses
Bait	Fills	Join	Organism	Smelt	Vases
Ball	Firm	Jury	Paused	Spill	Volcano
Bound	Foam	Leaned	Peel	Spray	Warn
Call	Game	Legs	Philosopher	Stays	Week
Chances	Grip	Lids	Playing	Sweets	Wins
Cheek	Gull	Limb	Rain	Swift	Yoga
Clip	Head	Lion	Reason	Teddy	Zone
Days	Helmets	List	Reds	Tell	
Deny	Home	Loudly	Riots	Test	

```
S D I C A S A G N I T T I H C L O U D
B A T T L E G C H O R D S H R I N K E
A B P A E I S G D M E T R E N D W C E
R L C R V T N O E A R P S E S S I O N
G O U E I I L G L A L U F E S U D L T
V O N M N L D C I G A R E S J I E L E
Y M I I A I E L O C E S N E T N L A R
E L A R M B R O W N A E D F S E Y R T
D G P T R I A L M W V S S E W G O S A
A E A P G S C A S E S E R E R O N G I
R D I T A N S B S A M V R D M I O L N
K E M R S O I E S I E A S S H C T A M
E P U I D P A L M S F S Q U A R E S E
R P M E T S L S E E N D I N G T D S N
C O M M A E T S L E G E N D S A I H T
R R Y G W R O B O T P L G A A R R O W
A D E L B U O D E C I R P Y A T B C N
F N S H O W S L I D E U G Y P S Y K Z
T R E T I A W F U L I C K E D T E S S
```

Acids	Cling	Farewell	Match	Seesaws	Trend
Admit	Cloud	Feeds	Metre	Serve	Trial
Agent	Collars	Gaining	Mimes	Session	Useful
Apply	Comma	Geese	Minor	Sevens	Vocal
April	Conversation	Genius	Mummy	Shocks	Waiter
Arise	Craft	Given	Noted	Shows	Wells
Armed	Curled	Glass	Oiled	Shrink	Widely
Arrow	Darker	Grabs	Palms	Slide	You're
Awful	Debts	Gypsy	Paste	Squares	
Battle	Dollar	Hitting	Peeling	Stage	
Bloom	Doubled	Ideal	Price	Steam	
Bride	Dried	Ignore	Purse	Sugar	
Brown	Dropped	Juice	Responsibilities	Sunday	
Cases	Egypt	Labels	Robot	Tarts	
Cause	Elbow	Legend	Rooms	Tense	
Chords	Ending	Licked	Saves	Tired	
Cigar	Entertainment	Limits	Scared	Trail	

Puzzle 83

```
G R A S P L A T F O R M S I X T H P W
M C O N T R I B U T I O N S M A Y O R
H O O E V I T A T N E S E R P E R S I
N A T O M S A I R A K R A P S R H S S
P T S H I R T W U T P L K I O A S I T
H S R J E L L Y S S O P R B P U E B S
O S D E E R E E T P D N E E E C E I P
T R A I N A I N Y E U N G D E N I L A
O C R O W D I N G S S N I E R A N I R
S U S F A A D A P T W L T F C I G T E
B L P L P R G P R O H A O H T L V I A
R T R Y A N E E R S N S I V P S N E C
E U I I E O A B T I E E T W E T O S H
V R N N G M G N M H V R S H R R T A E
I E G G E N G I N E I A U I C A I L D
E D G E S E L A M O U N T T O P C A I
C M U G G E D E L A Y Y K E A N E R R
E N D I N G N S T E E R T S U M S M P
R E A C T T R E I G N I T T E N G A M
```

Achievement	Eliminate	Males	Pride	Spark	Verbs
Adapt	Ending	Mature	Private	Spring	Waits
Alarm	Engaged	Mayor	Radar	Steer	Whites
Amount	Engine	Mother	Reached	Strap	Wrist
Annoy	Finds	Mugged	React	Stream	
Atoms	Flying	Nails	Receive	Streets	
Borrow	Forms	Needs	Reeds	Sunrise	
Brown	Girls	Netting	Reign	Tapped	
Coats	Goals	Noise	Reins	Thinks	
Contributions	Grasp	Notices	Representative	Tiger	
Creep	Issue	Paints	Rungs	Title	
Crept	Jelly	Parts	Rusty	Trail	
Crowding	Ladies	Photo	Seeing	Train	
Culture	Lengths	Piece	Shape	Trend	
Delay	Lined	Platform	Sixth	Trust	
Drive	Lover	Polar	Sneak	T-shirt	
Edges	Magnet	Possibilities	Spare	Uncle	

Puzzle 84

```
E Y L E T A N U T R O F N U D E P T H
L D C E L E G A N T I W R E N O A R H
I N A M S X E R S N O B R A T Y S O Q
M A O P M H P L D L A I R T D T S U T
S S O U L A A S F N T C E S N I I T N
T T S K N U B L O S A D E V I L O N E
S O N T Q S C I V T U M M Y T I N K G
E N S E O T T K R E P P E P A B T C A
S I M I M A G E Y R S E O D L I O A C
L S I U U N D A R C E S L T A S P R A
L H N Q I A R S L E R K E S C N I C U
A M E Y V T N E C S V I E L D O C K S
H E D N X T W L V K E E E V L P S E E
A N I E M O C T U O D S R S A S H E S
R T A V V W P B S O G E L E V E N T H
M S R E F E R E E H E C N E H R L H E
O O I S W L N G D S S E V L O W E R A
N R E S E I T I L I B I S N O P S E R
Y F S G N I T N I O P P A C K A G E S
```

Agent	Dying	Hears	Packages	Sells	Unfortunately
Almost	Easel	Hence	Pants	Served	Urban
Appointing	Edges	Hooks	Passion	Seven	Vessel
Ashes	Elegant	Image	Pepper	Shook	Vowel
Astonishment	Eleventh	Insect	Pieces	Skies	Wherever
Begin	Equals	Invade	Pluck	Slept	Wolves
Bunks	Equation	Latin	Potted	Smile	
Causes	Exhaust	Leave	Quiet	Stops	
Crack	Extra	Lived	Quilt	Swept	
Crane	Finds	Lower	Radio	Three	
Cries	Fleet	Lucky	Referee	Tired	
Dance	Flown	Mined	Refers	Toads	
Demand	Frost	Netting	Responsibilities	Topics	
Depth	Governments	Nines	Responsibility	Towel	
Devil	Halls	Nouns	Sandy	Trial	
Diaries	Halves	Octopus	Scent	Trout	
Docks	Harmony	Outcome	Secret	Tummy	

Puzzle 85

```
D L E I Y A P P A R E N T S P L A C E
G I C A S U A L I B O R E D C R O P S
G N D E P T H J O I N T K G N M O N S
N I U I R H R E T R E C C R P E R T N
I N L O A O W A I T S A A A T D S N R
T G S T Y R N R N H A X R I G I D O U
R I G H T I F G P G R E C N L U G I T
A M A E R T S A I E E K N V E M U T I
T N N L I I S R E V E R E H W S E C M
S D G B H E E L S T E R D C E A S E D
S D N A T S N T E T T S C E M U S S A
N O I T A G I T S E V N I U K K I R G
A S T O O L S A M S P N S N I A G E L
S W A M P A U S R S G E D E D G N T O
T L D S W C B P O E M S D A S I S N B
Y A A T E I U Q F R T E K C O R A I E
L S M R A S I D N D C N O R T R E N Y
E T A M O U N T I D Y U E M A L B V S
H S I L P M O C C A T H D E E R F A H
```

Abroad	Ceased	Guess	Nasty	Silver	Tools
Accomplish	Compare	Heels	Nation	Skied	Turns
Actor	Crack	Heroine	Obeys	Sleep	Untidy
Address	Creep	Ignore	Parents	Splits	Verses
Admit	Crops	Indians	Peels	Spray	Waits
Afraid	Cross	Informs	Place	Stands	Waste
Amount	Dating	Intersection	Poems	Starting	Wherever
Amuse	Depth	Investigation	Poetic	Stern	Yield
Apparent	Disarms	Joint	Pupil	Stool	Young
Assume	Enter	Lasts	Quiet	Stranger	
Atoms	Erase	Lining	Right	Stream	
Authorities	Exact	Lists	Rigid	Style	
Birth	Freed	Medium	Rocket	Swamp	
Blame	Gains	Metre	Saucer	Table	
Bored	Gives	Moral	Scout	Tends	
Business	Globe	Musical	Seeing	Thirty	
Casual	Grain	Naked	Signs	Ticket	

Puzzle 86

```
S P I R I T S R T A S K S D A I S Y C
E C D E S S E R T T U W H M D P E F A
N Y A N R L K E R G R A V E L R C C N
S S A R A E P A R E N T S N S I I O A
E P U X E D N L G D A E P D E D F L L
S Y A P L G S I S R M R R E I E F O Y
O G S C E E J T M S E O A D T S O U N
R D N L E R U Y H K H A Y U R O R R I
A E Y I Y X M A T C H E S N I A D S H
L N N N R W P A S O T L R E H S E A S
L G O E A E S A R N T A E S T U R B Y
E I C S R G E L N K H T W T I M E S N
C S H U B D N H L D E O S H S M R R O
I E E L I M S O C O I T N C T A O U I
D D V T L F E I L E R N A A E R M N T
E I J O I N S K N A H T G Y R Y A N U
A T I F T U O S T N U A H E S E J E A
L A T E R E Q U I R E S C U E S O R C
S U S P E N S E E S A W S N I E R S S
```

Along	Expanding	Lines	Rescues	Spray	Watch
Answer	Films	Litre	Rides	Strangely	Water
Arose	Gravel	Major	Rings	Summary	Yachts
Beard	Grease	Matches	Rolls	Supermarket	Years
Canal	Gypsy	Mended	Roses	Surname	
Caution	Hands	Miner	Runners	Suspense	
Cellar	Harms	Offices	Scare	Tarts	
Cheer	Haunts	Order	Seeing	Tasks	
Chords	Ideals	Outfit	Seesaws	Thanks	
Colours	Ideas	Parents	Senses	Their	
Daisy	Israel	Pride	Shape	Thirties	
Designed	Joins	Quite	Shiny	Tides	
Dessert	Jumps	Reality	Sledge	Times	
Drily	Keeps	Reins	Smile	Today	
Dunes	Knocks	Relax	Snaps	Total	
Earth	Later	Relief	Space	Votes	
Error	Library	Requires	Spirits	Washed	

Puzzle 87

```
S N C R O W D A D D E D Y S S T A T E
Y T A E R T P F R I D A Y R E T A I N
M I D G O E A C C O M P A N I M E N T
R I S D R C L E L V E S T U E A A F E
I L S D N R B P E S P E E P X T D U F
Y A K T L I S O R R E P D P A U S E S
D E L I B E R A T E L Y E L L E D N D
T M A S P H A U P S T R N D L I H C R
E R T E M T E V T U T T N L O D G E O
A U S H A D Y L E C O I I A W A H D L
S P O S T E D L E E A R R E A C H K L
E A H A S M K B N N H F G A R O B E S
S T O L E N E M O T G N U N R O H T D
U J M T A L U A H R I T H N C T A T R
A L E A P I I N S E R T H C A S X L I
C R S A D D P N B D D O U B T M E E V
M O M E N T A L K I R R W E A K E R E
S O M I S S E D W S S I W S A V E D N
```

Accompaniment	Doubt	Jeans	Named	Shady	Width
Added	Drive	Kettle	Needed	Shone	Years
Allow	Elder	Leave	Occurs	Spelt	Yelled
Ankle	Elves	Length	Oddly	Stalks	
Ashes	Enter	Links	Old-fashioned	Stamp	
Atlas	Expert	Lodge	Organ	State	
Aunts	Extra	Lords	Pause	Stolen	
Avoid	Faced	Manufacturing	Peeps	Swiss	
Being	Flames	Maple	Posted	Taste	
Borrows	Friday	Meals	Prettier	Tease	
Causes	Grinned	Medium	Reach	Tenth	
Centred	Group	Mental	Retain	Their	
Child	Hawaii	Meter	Rings	Thorn	
Clapped	Homes	Metre	Robes	Thrill	
Crowd	India	Middle	Robots	Treaty	
Dairy	Influenced	Missed	Rolls	Video	
Deliberately	Insert	Moment	Saved	Weaker	

Puzzle 88

```
S T U D Y P U H C T E K C U R T N X R
A C L A I M C O S K C A B D O P M E T
I G F O U N D E M A N D N N I C N D I
L G L S A T T A C K U U N E S N S N M
S E T R O U T E S W O A C R I E S I I
U N H A P P Y S R R C E E T X L M P D
T I G E A O P I U P C D E P T H A A A
T U I P Y A T S O R R Y S S Y D L U D
E S R O C T S S Y O E E E T E C C S O
R I S E E L B A T A S I T U N H E E Z
L I S N S S D N I W T N S A E A L D E
H G K T E T Y R L R R S D E T O P I N
L T N M I P S O I U I W R I P I R T E
S T O I R F O H B T P E H D S D O O M
C C W O O S T T A W D P A T O A G N Y
R N I N T H C U B O O T S E N T R Y H
E I N N S E C A O F A C I N G O A M R
A N G E L E V E R Y E T A T S E M G S
M L E N A P A J P Y O U T H Y A S S E
```

Alien	Demand	Japan	Piece	Spaces	Trout
Angel	Depth	Ketchup	Probability	Stays	Truck
April	Disarms	Knowing	Programs	Stories	Unhappy
Attack	Disco	Lever	Ranch	Strip	Utter
Author	Dozen	Month	Rests	Study	Winds
Backs	Echoing	Moods	Rhyme	Swept	Written
Boots	Enemy	Mustn't	Right	Table	Yours
Burnt	Essay	Named	Riots	Tadpole	Youth
Cannot	Estate	Ninth	Round	Tempo	Yo-yos
Cheered	Every	Opens	Route	Tenth	
Claim	Facing	Orders	Sails	Thirties	
Clams	Found	Ounce	Scary	Thorn	
Comes	Genius	Outfit	Sentry	Tides	
Cowboys	Index	Panel	Sheep	Timid	
Cream	Inner	Pants	Sixty	Tissue	
Crest	Interpretation	Paused	Songs	Tooth	
Cries	Issued	Pears	Sorry	Trend	

Puzzle 89

```
N O B L E S S E R D S M A Y B E S S T
T R A D E N I M Z H E S T O R A G E R
S E A W E E D N A E V Y A I I Y S G I
E T P E L S Y B R A E N O Y D T T A C
V H R D L L I R D S N R L L E A A W H
R I E A O T U G O E T R B A P L L R E
A R U N Y T P N N L E A S T R M L M S
H S E K C A U Q T T G K D I U U E O T
U T R I S E N O T I C U R L Y R R N W
A P I T G G N I T A L U T A R G N O C
I A U A E H B S P S O I N Y L O D S S
D R Q S F R T T S D P L U C K L W E L
E K E T E E I H O L E H T N O M O S I
M I R H K F T G Y K L E S E N I H C A
A N P C L U U I I O S I C N O B B I R
N G U A O I N L S D R E H T O R B H F
D B T Y T G A M E S I S U N D A Y S I
V S S A E D I S A P P O I N T M E N T
E E S O H T H R O N E E D L E S S O N
```

Alike	Eight	Lesser	Packs	Stall	Wages
Aside	Elder	Lesson	Parking	Storage	World
Bitterly	Employed	Light	Pasture	Stout	Yachts
Breeze	Event	Maybe	Piece	Stray	Yellow
Bride	Faith	Media	Pluck	Stunt	Youth
Brother	Flats	Merry	Quack	Sundays	
Buckets	Frail	Mined	Rails	Taller	
Chinese	Games	Month	Ratio	Thirst	
Collar	Glory	Multiplying	Require	Those	
Congratulating	Habit	Named	Rhyme	Throne	
Curly	Harvest	Near-by	Ribbon	Tidal	
Demand	Herds	Needle	Richest	Tones	
Design	Hills	Nobles	Rigid	Trade	
Disappointment	Ideas	Noses	Rural	Turns	
Dress	Italy	Nosey	Seaweed	Until	
Drill	Learn	Nylon	Seven	Useful	
Easel	Least	Odour	Slept	Usual	

```
C O S T S E R U C E S C A P E D D L D
Y R K P R P X S U N S H I N E E A N E
E L E V E N L I O T G N I T T E N A R
I D A A B N N I S T N S A H D B I E U
S E T T M D T E T T E N G I N E G C S
G N I N I A R T S E R I W W S N H O S
S A W A T V I S U A L A O A I C T M A
W E N O E S Y L B I R R E T O H E B D
I L N S R O U E S D D T A A B L E I S
S C Y T J C E M E N T L S U L L T N E
S L I N H F F I L C U T S E N I F A V
U O E L D E R L Y T L E D E H T S T L
E S L N S R I O A I S S T L U S N I E
D E D T O R I R N P R I N T T Y A O S
T S A W E Y G E S T P G R O W L B N R
P T I L U N A R D S I I W O L L A S U
E S L A O G S R O T L E N K V I D E O
L C Y C L E S E C V R S R G L H G T D
S T H E A T R E X P E R I E N C E S O
```

Allow	Crowns	Frontier	Notation	Sunshine
Ashes	Cycles	Goals	Ocean	Swiss
Assured	Daily	Grove	Odour	Tease
Badge	Dried	Growl	Ourselves	Teeth
Bench	Drown	Hasn't	Print	Tense
Buses	Eagle	Ideal	Restraining	Terribly
Cement	Elderly	India	Rests	Theatre
Chilly	Eleven	Insults	Secure	Theirs
Cleaned	Engine	Issued	Serves	Timber
Cliff	Enjoy	Italy	Slept	Tower
Closest	Escaped	Knelt	Smelled	Trains
Coastline	Estate	Lighted	Snail	Video
Combinations	Exist	Lunar	Snowy	Visual
Congratulating	Experiences	Mails	Spent	Vital
Costs	Ferry	Mustn't	Spite	Wires
Crayon	Finest	Netting	Split	Worried
Cream	Flapping	Night	Still	Yield

Puzzle 91

```
T R O U T S S L A N T C U T I E S
G A M E E E X T R A A O W O M E N
O G X V V F T H I N G M R H E L L
N S I I N S U F F I C I E N T L Y
E R N C U S N E S D E C O R A T E
D K T J R E R E L Y T R U F L O W
S T O O D A E A G O H F R L L E F
L S T I R S B R L T J L S O R C I
E C A M E R A S I D I A L C A A B
A M C P T S H U M A N G R K R U E
R A O D O I N S P E C T E S T G T
N R A T U T S S V A P O R I H T
T E S T C S G N E C K S O N S T E
H A T E H A U O T K A E D I T O R
C U S H I O N G A Z E R O C S O H
L I N K N N R E C L E A R E D O E
R A N G G S P N S H D I S C O S N
```

Actors	Drives	Herd	Odor	Stirs
Area	Ears	Human	Onto	Stood
Artists	Editor	Hung	Ours	Sufficiently
Better	Extra	Inspect	Pail	Task
Cameras	Fall	Into	Peak	Taxi
Cane	Flag	Isn't	Poison	Test
Cast	Flocks	Jars	Rags	Thing
Caught	Flow	Just	Rang	Thorn
Cleared	Fuel	Knives	Rare	Throne
Coasts	Game	Learnt	Rely	Ties
Comic	Gaze	Link	Rise	Tigers
Crab	Glimpse	Maiden	Ropes	Torn
Crew	Goal	Metal	Scar	Touching
Cushion	Gone	Name	Seas	Trout
Decorate	Hate	Necks	Sits	Vapor
Dial	Head	Nice	Slant	Women
Discos	Hell	Nouns	Slot	

```
F  G  H  F  W  T  E  E  T  H  O  A  K  S  S  S  N
O  S  P  O  I  L  M  S  O  A  K  N  E  K  B  R  R
O  D  L  N  M  A  R  K  I  N  G  G  C  O  A  T  E
L  E  U  D  F  E  R  A  U  D  A  I  M  E  D  T  S
B  P  M  N  R  A  E  S  I  N  K  S  N  E  E  D  S
O  T  E  S  E  O  P  R  I  N  C  I  P  L  E  E  A
O  H  E  R  B  S  P  E  S  E  S  E  H  E  Z  A  Y
T  S  H  I  R  T  G  F  A  C  E  T  R  E  C  S  S
U  A  E  S  T  A  Y  U  S  K  A  T  E  S  A  T  I
M  O  L  E  P  T  B  S  K  S  G  R  I  N  E  P  S
O  T  R  E  S  T  A  E  S  O  F  T  E  N  D  A  N
L  H  W  U  A  H  S  D  E  C  K  R  M  I  D  S  T
D  E  R  E  G  M  K  R  T  L  A  O  O  E  I  S  C
B  R  I  I  L  T  E  W  A  I  T  V  U  U  E  U  R
C  O  S  T  S  L  T  D  X  N  A  L  E  R  T  M  O
N  E  T  B  I  T  E  S  I  G  G  A  U  G  E  E  P
B  A  T  H  S  P  A  R  E  A  G  R  E  E  S  S  S
```

Ages	Coat	Gauge	Near	Rest	Then
Agree	Costs	Glue	Necks	Route	T-shirt
Aimed	Crops	Grin	Need	Rusty	Unit
Alert	Deck	Hand	Nets	Scar	Urge
Asks	Depths	Heap	Oaks	Seat	Uses
Aspects	Diet	Herbs	Often	Sees	Wait
Assume	Drop	Home	Once	Sigh	Well
Athlete	Dune	Into	Other	Sinks	Wrist
Avoid	Earn	Isn't	Page	Skate	
Basket	East	Keep	Pedal	Soak	
Bath	Ends	Kicks	Plum	Spare	
Below	Essay	Marking	Principle	Spoil	
Bites	Face	Media	Rains	Stay	
Boot	Fame	Midst	Rang	Sunk	
Both	Fond	Mobs	Rear	Tale	
Cave	Fool	Mold	Reed	Taxi	
Cling	Freezes	Mole	Refused	Teeth	

Puzzle 93

```
H E L M E T D E A S I L Y W I N G
Q P U W G A C E A C H E N U T S I
T I R E H A S I P V M O B F O O D
K N E E F A Z T E O I I E S S A Y
T A S K S Y R E S T S U S E S E E
R N I I M S M M A E C I T S R X D
U O G E T O E I F S E A T O D T T
L N N H H S C S E U L V T L I R S
Y E C E E A R S P L C I D C A P
H N A L R O U T E S A A D V T O E
I E M P E S U E V E N L Y R I R C
D S P L A S H R A T E W E O O D T
E A N O S E L E S T O W E L N I R
A U L T M A I D E N U I G C A N U
L C S I D E E O S R S S Y L R A M
M E R E V R P L F I V E P U Y R I
T C M O D E F L E W N E T B O Y S
```

Actor	Essay	Late	Presses	Spectrum	Vases
Appreciation	Evenly	Leap	Rate	Splash	Vivid
Best	Extraordinary	Live	Reds	Sure	Vote
Boys	Face	Maid	Rescue	Task	Week
Camp	Five	Medal	Resign	Tests	Wing
Club	Flew	Mere	Rest	There	Wise
Crime	Food	Miscellaneous	Routes	Tidy	
Deposit	Gaze	Miss	Safe	Tire	
Dictionary	Harmful	Mode	Sauce	Tore	
Doll	Helmet	Nail	Seat	Toss	
Dyed	Help	None	Sheer	Towel	
Each	Home	Nose	Shoe	Truly	
Ears	Ideal	Nuts	Side	Turn	
Easily	Inch	Ours	Sits	Uncle	
East	Isn't	Pale	Snowy	Upset	
Egypt	Item	Plait	Sold	Used	
Enemy	Knee	Poet	Some	Uses	

Puzzle 94

```
W H A T H J E T S A M E P R I S M
U P P E R K N I T S A O A I E I N
D E A L T U N O T I C E S V L I A
K R E F R I G E R A T O R S A O S
L U A B L E U S E E S E G R Y S T
T R G H F E L T L S N N M O E T E
B A I T Z E L A I P I T Y S R E W
L L N A W E P T X D F R O W S M D
O A G O W O R E N A E A P I S P H
W A V E S I B O P I W N A N W E E
P A R A D E P R R S E C R T A R A
S H A N G S L E O Y R E D E M A L
T A I N E A O S V K C L O R M T T
A L U R V D T U E I E Y N S E U H
Y L R I R A N N T I G N O R E R E
P O R O O M I T F H A W K U T E S
C E L L S P A O V E N S F U R S K
```

Able	Furs	Nerve	Relax	Unto
Acts	Gaze	Notices	Rent	Upper
Aging	Gull	Omit	Rival	Vase
Asia	Hall	Ovens	Rows	Vowel
Attic	Hang	Pale	Rugs	Want
Bait	Hawk	Parade	Rural	Waves
Blow	Health	Pardon	Seek	Wept
Broken	Ignore	Pilot	Sees	What
Cell	Items	Pine	Slim	Winters
Corresponding	Jets	Pity	South	Wipe
Daisy	Kept	Plot	State	Wore
Damp	Knees	Plunge	Stay	Your
Deal	Knits	Prism	Stew	Yo-yo
Else	Lava	Prove	Swam	Zero
Entrance	Layers	Raft	Tear	
Felt	Lord	Rain	Temperatures	
Fewer	Meet	Reed	Threw	
Field	Moss	Refrigerator	Tide	

Puzzle 95

```
C F B Y E A R S O F F E R E D R E
E R L D F E A U N T U C O L O N Y
D U O A U S S C A R E S I H U M S
J C W W N S F H T I S H A D O W I
C O A R D D E I O O C R E A M B D
I M A D E E E S S T R C B O R E E
R B A U V T D D U H A S O R D E R
C I R C L E O H R F P O N N N R A
U N E K S G R Y F S E G E A R N S
M A S O M E R B S T N M S M X E A
S T C I O A S O E I O N O E P L K
T I U N K R T N U O I N E A E T E
A O E K E A I G L P I D C S N S Y
N N R S D B R O M A S S L E T E T
C S T C A A S E P H E A D E D A W
E E A C H S T U D Y E M A T O M O
S M B U S I N E S S M E N G E T S
```

Actors	Circumstances	Gets	Offered	Side
Adds	Code	Goat	Once	Smoked
Adverb	Colony	Gods	Order	Solo
Arab	Combinations	Groups	Pain	Some
Area	Cream	Headed	Reds	Stirs
Arguing	Crowded	Hums	Rescue	Study
Atom	Date	Hutch	Riot	Such
Aunt	Duck	Idle	Sake	Surf
Axle	Dune	Inks	Same	Torch
Barns	Each	Insane	Scares	Toss
Beer	Earn	Item	Scrape	Toys
Blow	Empty	July	Seal	True
Bones	Ended	Landed	Seam	Twos
Bore	Escapes	Loom	Seem	Uses
Businessmen	Faced	Made	Sees	Years
Cabinet	Feed	Moan	Sets	
Child	Fish	Name	Shadow	
Circle	Fund	Nest	Shot	

```
U R G E C S R S D B A R K S A C K
N G B E K A T E X T T I E B O O K
D B R S O A K M A A E S A Y S N K
E A A A E A R E E D O E S N T C D
R S T B B A R R U R E S O F A E I
S E S E L B G R A E I R N M Y N E
T R E A T E E T I N Y B S E T T N
A L I G H T E D D T G E S P O R T
N E A T O S O L L R B E L T O A R
D X N O L G I V E N E A M L T T Y
I I C S S U G G E S T W D E H E S
N S R L B L I A A N K L E G N D N
G T H E M E S S O Z S T S S E T S
H S R E S N L M U R E T U R N S Y
O U M P I I L E E N U U N I T U O
P O R K O A S H T N G A L L E R Y
S L S C S P I T Y S D U S T R E O
```

Able	Concentrated	Legs	Returns	Sons
Alarm	Date	Lets	Ribs	Spit
Ankle	Doesn't	Lighted	Rises	Sport
Arose	Drew	Mend	Roses	Stay
Arrangement	Dust	Neat	Rude	Suggest
Asks	Enter	Ninth	Sack	Sung
Badges	Entry	Nuts	Salmon	Sure
Baked	Exists	Ovens	Says	Text
Bark	Eyed	Pork	Scooter	Theme
Base	Gallery	Pots	Sees	Tiny
Beats	Gaze	Pure	Sets	Tooth
Belt	Given	Rare	Skins	Treat
Bets	Grabbed	Rats	Sleep	Understanding
Book	Great	Readers	Smack	Unit
Build	Hers	Reds	Soak	Urge
Cake	Hops	Rent	Sofa	Yell
Coil	Idle	Resist	Some	Yo-yo

Puzzle 97

```
R E A K Y N T U S E S S T I E S H
E P M N I G H T S A G V T D W K U
F N I E G I A A S N I S I A L I T
O A D E A R K N I T U L P O D P H
R N E S S L Y K I D S T Y E L C O
M N A L E F S Q U I R T S S R I U
G U L L S I R P X R I S K A I M N
F A S T E S T A S T I N J U R E Q
W L I M I T T R I K I D R E A M U
R H O N A L L E G S I B A G S C A
S U A W A K E N E D E M A I L H R
Y E L L O W U T S T R I P E A A R
R V F E E H D H T S H O W P W I E
I S E O R I H E U B D E M B S N L
O H L T V T C S R E L A Y E A M I
T O T I O E F E E L L B U L B N N
S P V B E A R S S T E M P S I N G
```

Angry	Felt	Knit	Raise	Solo	Whale
Annual	Fist	Lamp	Rats	Sperm	White
Arch	Flow	Lane	Reform	Squirts	Yellow
Awakened	Gain	Laws	Relay	Stem	Yolk
Bags	Gases	Legs	Riots	Stripe	
Bang	Gestures	Limit	Risk	Tank	
Bear	Girl	Mail	Rome	Taxi	
Belt	Gull	Meals	Ruler	Thee	
Both	Hung	Nights	Sail	They	
Bulb	Ices	Nuts	Seed	Thou	
Chain	Idea	Over	Shop	Ties	
Dirt	Injure	Parentheses	Show	Tile	
Dream	Inks	Paws	Sing	Uses	
Dust	Kids	Pies	Sink	Veto	
Ends	Kings	Plan	Skim	Violin	
Fastest	Kissed	Quarreling	Skip	Vivid	
Feel	Knees	Rainy	Slid	Walls	

```
P R E N C Y C L O P E D I A S E A
H O U S I N G U F D O G S N S O C
O I L S G C E F R L D H I T T D F
T W G A A A A A I R E L N R O O M
O C S H R U L V R L E E Y O L R P
G A C H N S D E E R M N T U D O E
R R U T I E S R D H O S T B A V A
A T B G C P U U S E S G L L R S C
P M E R E P H I N L T U A E E R H
H T S A H T L O A D B L S S A C K
I L E B S P R A Y L B R O K E N P
C I L I M I T R K P S R O S S A
T S W O W N S S P G A O N B E B D
T T C O D E A N U N A W A R E R D
H C H E S T A B T O N E S D O O L
A D A P T E D R S I G N O W A A E
N A N N Y R S M O O D M S A I D R
```

Accomplishments	Current	Lean	Owls	Serve	Unawa
Adapted	Deer	Lens	Owns	Ship	Uses
Also	Dogs	Limit	Paddle	Sign	Wear
Arch	Encyclopedias	List	Paws	Soon	
Area	Films	Load	Peach	Spray	
Arose	Fleet	Loser	Photographic	Stood	
Broad	Gale	Mere	Pine	Store	
Broken	Gases	Mode	Polar	Sword	
Bugs	Girl	Mood	Pure	Task	
Bulb	Grab	Most	Puts	Teas	
Cart	Held	Nanny	Reds	Than	
Cause	High	Near	Roar	Thud	
Cave	Host	Nice	Robe	Ties	
Chest	Housing	Oars	Room	Told	
Cigar	Into	Oddly	Roses	Tones	
Code	Iron	Odor	Sack	Troubles	
Cubes	Isn't	Oils	Said	Twist	

Puzzle 99

```
A W A K E L L A W S D G O O S E E
P E E P E P O C O P E R A E V N D
P L U R A L S O R C H A R D E E D
R A I O A K S P K S H G A E V B N
E W A G E S E Y E S A L I A E E K
C A R R H X S L R R G C P F N I N
I Y E A U T I A D O C R C E T N O
A N A M P P H T E E M E T A L G T
T P T S R S O B G M S A N S S S T
I I P O E U U N G U I T N T T H E
O D D L Y C I S S A I E I A E D
N N E Y Y K G T A I T V S R X G M
H O T A C E E R A C K E H E R S E
O O R O L E R B A R C H D O M G V
X N L L M S M F A N T N V U A R I
E N C Y C L O P E D I A S R I I L
N A K E D S B I T E F B O W L P E
```

Apply	Eldest	Holy	Oaks	Rage
Appreciation	Else	Ideals	Oddly	Role
Arch	Encyclopedias	Index	Once	Roman
Area	Even	Into	Onto	Sits
Asia	Evil	Knotted	Opera	Sofa
Awake	Exit	Laws	Orchard	Stem
Away	Eyes	Legs	Oven	Stir
Being	Fact	Light	Oxen	Suck
Bite	Favor	Locking	Park	Sums
Bowl	Germ	Looks	Paved	Tart
Cash	Gift	Losses	Peep	Tidy
Copy	Glad	Mail	Percentage	Upon
Creative	Goose	Meets	Piles	Vets
Cube	Gran	Metal	Plural	Wages
Deaf	Grip	Music	Prey	Wire
Drag	Harsh	Naked	Programs	Worker
Eggs	Hers	Noon	Rack	Wraps

```
P P A T C H C A G E D S U M M I T
S L I P S Y H N D E N Y R S I Z E
R L M P A A I O D U P U R G E O B
S U S M U P N W R O L E T A W A Y
D L S C O P O L A R O T A S I A A
E I L H H R P S W X W R C E R R P
D N F A C O A Y N E L R O S E M P
E V E R Y X O L M G E E S T S U O
E E A M O I S L U G R M T O L D I
R S D S Y M N L A D I E S O G D N
L T R O T A P G T O L M E N B Y T
V I E U Z T N E O C A B I N E T I
O G S R S E I T M K M E N O R Y N
M A S T M L N L S S E R C T R I G
I T A E O Y A S L S A I O E Y N R
T E N D E P R I Z E S N M B A G S
C O M M U N I C A T E G E V E N T
```

Adult	Deer	Green	Plow	Stop
Aims	Deny	Hoping	Plug	Summit
Ants	Dismay	Income	Polar	Tend
Appointing	Docks	Investigate	Prize	Term
Approximately	Door	Ladies	Puppy	Till
Asia	Dozens	Lame	Remembering	Told
Atoms	Drawn	Laying	Robe	Tying
Away	Dress	Letter	Role	Urge
Axle	Dump	Mast	Runs	Vast
Bags	Earn	Muddy	Rush	Wires
Berry	Eats	Note	School	
Cabinet	Enemy	Nuts	Seeing	
Caged	Engage	Omit	Seen	
Chin	Event	Oral	Size	
Communicate	Every	Owls	Slips	
Cost	From	Palm	Slit	
Crowded	Gases	Patch	Sour	

```
S  E  T  S  S  Y  T  H  T  L  H  S  H  E  D  S  D
E  C  A  T  L  A  S  E  S  U  S  L  E  A  R  N  T
R  R  A  I  R  I  D  D  E  N  S  T  E  M  O  S  S
V  O  A  R  T  S  G  L  P  A  C  K  U  F  P  U  U
E  D  S  I  C  O  P  H  Y  R  T  I  S  N  T  N  C
D  E  R  E  S  E  O  A  T  A  W  S  W  E  S  D  C
O  B  E  Y  S  E  E  T  R  S  I  E  I  X  R  A  E
L  T  A  M  N  N  T  E  H  H  R  R  S  T  A  Y  S
L  S  O  N  O  N  P  K  Y  O  E  V  S  T  N  E  S
L  O  R  L  W  O  N  L  D  E  C  A  Y  H  G  C  F
R  E  A  D  Y  E  N  O  E  F  H  N  T  A  E  L  U
F  A  A  S  D  O  A  S  I  A  O  T  R  W  S  E  L
N  H  Y  D  M  E  C  E  K  R  V  S  D  K  L  R  L
O  O  U  S  A  I  R  O  N  E  P  E  C  A  W  A  Y
T  S  T  O  P  S  I  C  O  M  P  U  T  E  R  S  A
E  E  R  O  S  O  C  K  A  I  R  T  A  B  L  E  S
B  I  T  T  E  R  E  C  W  T  I  M  E  R  L  L  Y
```

Ages	Drop	Leave	Ranges	Sock	Tusks
Alone	Eats	Left	Rays	Stays	West
Arts	Echo	Lose	Ready	Stem	Wiped
Asia	Erase	Lunar	Rice	Stir	
Atlases	Fare	Maps	Ridden	Stops	
Away	Fern	Moon	Room	Stuns	
Bets	Fond	Next	Roses	Successfully	
Bitter	Hate	Note	Sadly	Sudden	
British	Hawk	Oats	Says	Sunday	
Camps	Heat	Obeys	Scarce	Swiss	
Cell	Heel	Odor	Servant	Tables	
Computers	Hose	Only	Serve	Tale	
Daily	Iron	Opera	Sets	Timer	
Dare	Isn't	Pack	Sheds	Tooth	
Debts	Kept	Poet	Shoe	Topics	
Decay	Lead	Rage	Slight	Toys	
Doll	Learnt	Raise	Snow	Trucks	

Puzzle 102

```
F L C K T B E F A T E S T E R N C
I Z O N E O M O N W A L K R U N G
G O A V A I L A B L E A E I R O N
H H T I E D R D T B C H A D R I P
T P Y S C G E I G H T Y R E A T S
H R T M O E F S C O M E S A M M Y
R O O U N R S A P E F I N S O L P
P O P W S E O P D I E D B D L W M
B F O S I K U P S E T U S A E O E
U N E T D B S E E K C E C R G R W
S B T M E O P A E S H I R R C E S
E U I U R W O R K S T O U A S K S
D L L H A L D E O C S E B Y L P I
S B T O T R W D A L R A R O I O G
P O S T I Y I R A T E E Y A N R H
M T I E O E P N T M O N E Y K T T
H O W L N P E E L E D M A P S E S
```

Acre	Cubs	Hops	Poet	Slim	Wore
Ages	Damp	Hotel	Port	Slow	Work
Also	Despite	Howl	Post	Snow	Yolks
Array	Died	Hymn	Pots	Soil	Zone
Asks	Disappeared	Ices	Practically	Stern	
Atom	Drip	Ideas	Proof	Tender	
Available	Ears	Iron	Rake	Than	
Belt	Eats	Links	Rate	Tied	
Blue	Eighty	Love	Rice	Ties	
Boom	Essay	Maps	Role	Told	
Bowl	Fade	Math	Root	Tusks	
Bulb	Fate	Mole	Ropes	Type	
Cake	Fetch	Money	Rung	Upset	
Coat	Fight	Moth	Scrub	Used	
Come	Fins	Need	Seek	Walk	
Consideration	Grant	Other	Sights	Weird	
Creep	Hook	Peeled	Skirt	Wipe	

```
V A I N S T U M B L E D B M I H E
F E E D S R A S E A O S H O C K S
S H R N L U F V E I N S D A E E T
T O O B J E C T S D I R T N S X R
A O H R E O S C D H O T E L S C I
R C Y A X A Y A O L A K I C K U K
F I R S T T E L A V A W A N T S E
S I R E R H E E C T E F K E Y E S
H U S C A E V I E O O R H O B B Y
O A S H O E R G N E R V E A F L R
W S I I R I A H V T H D B F D O T
E T O L D M N T Y A O Y U A U N I
R R B D I U K S S M L P S A L E T
S A O P N U C R E D E S Y O U L L
G N W R A P S K A C S S O F T L E
O G L A R E A E S G T U N N E L S
O E S Y Y M D E S K S S D S T E P
```

Acre	Eight	Ices	Over	Strange	Verb
Ahead	Enjoy	Idle	Pray	Strikes	Want
Also	Envy	Image	Puff	Stumbled	Wraps
Area	Excuse	Insects	Rags	Taken	You'll
Attach	Extraordinary	Into	Rank	Taste	
Away	Eyes	Kick	Reveal	Thee	
Ball	Feeds	Laid	Rhymes	Then	
Bees	First	Lava	Sadly	Tiny	
Bowls	Fish	Lone	Sale	Titles	
Busy	Fuel	Lord	Seas	Told	
Child	Hadn't	Lost	Sell	Toys	
Cord	Hail	Make	Shocks	True	
Deadly	Hath	Moan	Shoe	Tunnel	
Desks	Hawk	Mode	Showers	Used	
Dirt	Hobby	Nerve	Soft	Uses	
Ducks	Holes	Objects	Star	Vain	
Eats	Hotels	Ours	Step	Veins	

```
P U L P T V A B U N K S S A N T S
L G U S R U B S R F O L D S U S D
R I E S T I L L E T W O S O R E L
A R E A S E E S P O S W C E R L E
L L G K T I N S R K T S H O E F T
L O N E Y O D W E E E T C C N N Y
Y I O L P U M E S E A S A B R C P
S T L G E I H L E G S R O U G H E
T E H L L C L L N X G I B L O S E
B R M I N U T E T S I N N K O C P
A M U D C C E E I R S T O G M H S
C A R E D K N D N T L O U L I O N
K A V E T O E D G I E N N S T L Y
C R U S T O L I T E R M I S T A O
E O R S R E V O L U T I O N A R Y
W A R N E D E L O N G C O L T L O
J R I B S F S H O T S E L I G H T
```

Ants	Disgrace	Lone	Rest	Sing	Yoga
Area	Elves	Long	Revolutionary	Sinks	Yo-yo
Atom	Exit	Lose	Ribs	Slows	
Back	Folds	Mice	Roar	Solo	
Belly	Gathers	Minute	Rough	Sons	
Blend	Girl	Mist	Rubs	Still	
Bulk	Glide	Ninth	Sake	Stone	
Bunks	Glued	Noun	Scholar	Swell	
Burnt	Hour	Omit	Scored	Teas	
Card	Into	Once	Scout	Term	
Cared	Item	Owls	Seas	Thick	
Cause	Jars	Peeps	Seen	Tilt	
Cell	Keen	Pile	Sees	True	
Cheeks	Legs	Pulp	Self	Twos	
Colt	Light	Rally	Shoe	Type	
Crust	Lion	Rear	Shots	Vetoed	
Cuckoo	Liter	Representing	Side	Warned	

Puzzle 105

```
R I D G E S O U L N S W S G I R L
S E A R N P L B O R E R N P E M I
B U G S E A S P E A R I L S O A K
N T F I R D U W B S H G E R M T E
E C H O O E S U D T N G F U T H S
A R B A R N R E Y I W L T S I E G
T A A K A C S R T N O E U H M M U
L B O S S E C O G O D R E E A N
T A L L E V U D A R D G O D S T T
G H E R E R A Y S R S C A R D I I
F A D O T F O E Y M H A R S H C E
J U M S A U N T E D A E D E A A D
J U N E P I F T E L K I C K E L E
C O L D P O I L S A C I L L X K S
C O P Y L S U S T A R V A T I O N
P U S S Y A L A R M V M M B S P O
E A R T H Q U A K E S E S I T E W
```

Acid	Cost	Girl	Neat	Scar	Wriggled
Alarm	Crab	Gods	Oaks	Scrub	
Answers	Creek	Golf	Odor	Site	
Apply	Dressed	Harsh	Oils	Snow	
Arms	Dust	Hauled	Oral	Soak	
Aunt	Earn	Here	Pines	Soul	
Barn	Earthquakes	Items	Pole	Spade	
Bike	Echo	July	Pussy	Spear	
Bore	Erase	June	Rays	Spots	
Boss	Errors	Kick	Reds	Starvation	
Bugs	Everything	Labor	Region	Sting	
Card	Exist	Leaf	Rice	Take	
Clam	Forced	Left	Ridge	Tall	
Clip	From	Like	Roar	Time	
Cold	Fund	Lofty	Rose	Untied	
Constructing	Game	Mail	Rushed	Upon	
Copy	Germ	Mathematical	Save	Wood	

Puzzle 106

```
C H A N G E H C O U N T I N G E L
P L F M E D I T E R R A N E A N P
D A E E R U I N A E A T E N I E
O E C A M E L S C T S H A I R S L
L O X E N A T S K S P E E D O P B
P H L T E D L S P E O A E H I N U
H D O K R E A E E U N A W A R E T
I Y A W E A C D O S S I K S R T T
N H O F L R C E C P I E C E S R O
S R O L E M I R O O B P Y E O T N
G R E E K S D A O O I A R P S L E
D E A R L Y E S L N L N T I E T X
H C O A S T N E E S I W S T O A T
I O V Y E I T U D W T N E R I A R
D O E E W A V E S I I O W L S C E
E B H P A S T U R E E L S E L T M
O S T O R M Y Z O O S D L S E S E
```

Accident	Dolphins	Hide	Pear	Unaware
Acts	Door	Howl	Piece	Uses
Arms	Dread	Idle	Port	Waves
Attic	Drip	Insist	Rats	Wells
Button	Dusk	Layer	Responsibilities	Whose
Camels	Ease	Mediterranean	Rest	Will
Cart	Eaten	Meets	Role	Wins
Change	Else	Nail	Ruin	Wrote
Clean	Erase	Nation	Scar	Yolk
Coast	Extra	Nice	Sews	Zoos
Coins	Extreme	Obeys	Shake	
Cooled	Feels	Oval	Sheet	
Counting	Female	Owls	Soak	
Dearly	Greek	Oxen	Speed	
Deep	Grow	Pace	Spoons	
Died	Hairs	Pasture	Stormy	
Diet	Heel	Paws	Toss	

```
F A S T G L O B E P E B B L E A L
A O C N A V Y V M I L K Y P I C K
C R U S H G L U E U W Y C H E C A
E O B S H O R S E T M H O L Y O Z
Y A E K S L S C A R O S A R I M I
C C R I T I C I Z I N G L T A P N
I R O N S V D L H M E Y E D O L C
R O A D S E I I E Y Y A E R A I N
E A U C E E V N N A T S D L G S L
L O G S K R E E S R N I S A L H S
Y Y W S E S D D O E S A M T R M F
N E A T E S E V S T H O S E U E L
S K I R T D A J T J W I T H K N O
L L T S D F M N O J U L Y C E T W
I E Y O T S U H P K Y G E V A S E
M A N U F A C T U R E R S L A K E
D O U B L E H K N E W T A I L S E
```

Accomplishments	Dived	Hymn	Mums	Slim	You'd
Ashes	Does	Ices	Navy	Solve	Young
Asia	Double	Irons	Neat	Stop	Zinc
Aunt	Drop	Joke	Nodded	Stun	
Cabs	Echo	Jugs	Olive	Tails	
Cake	Eyed	July	Oral	Those	
Clean	Face	Knew	Pebble	Time	
Clip	Fast	Lake	Pick	Trim	
Coal	Favor	Lined	Rags	Uses	
Code	Flow	Liter	Rain	Vase	
Cracks	Gale	Logs	Rely	Veto	
Criticizing	Globe	Magic	Roads	Wait	
Crush	Glue	Manufacturers	Scar	What	
Cube	Hens	Metre	Seed	With	
Dare	Holy	Milky	Sense	Wreck	
Days	Horse	Money	Skin	Yards	
Deny	Hums	Much	Skirt	Yell	

```
S L I M P E H Y M N R I P P E D R
X P L E I P A E D E A D L Y R E E
S A E L N S T L T T G C S B V S Y
C P A A S A S U O S S I D O T K M
O H F B R O O F S S A R M I E S U
G U A O L H F P K K T C B L E N D
U C C R T E H A E R I U A E E D D
I E R A T P O C A R C M R E V N I
D M O T H I N I S S A F K O I I E
E W P O L E O D Y K P E S E B N R
S L A R D C R L S I I R V P R E Y
T E S I A E T K L T T E A R A S Y
H A V E T N C A R E A N S X T N T
U E R S E O E Q U A L C T I I U P
T A N G L E D L V A S E S E O S O
S T A C E N G I N E B E A R N E E
F S O M E T E X T I N C T N S S M
```

Able	Crop	Guides	Nets	Roofs	Vein
Acid	Date	Hats	Nine	Sits	Vibrations
Agent	Deadly	Hence	Oaks	Skies	Wait
Area	Decorate	Honor	Oath	Skim	
Armies	Desks	Huts	Obey	Slim	
Axis	Died	Hymn	O'clock	Sofa	
Barks	Easy	Keen	Opera	Some	
Bear	Eats	Kite	Outer	Span	
Bits	Edge	Laboratories	Over	Spear	
Blend	Else	Leaf	Peep	Tangled	
Boil	Engine	Lean	Piece	Target	
Cabs	Equal	Locks	Pins	Tear	
Calm	Evidence	Lost	Poem	Tens	
Capitals	Extinct	Miss	Pole	Trout	
Care	Free	Moth	Prey	Uses	
Chart	Gently	Move	Rags	Vases	
Circumference	Glue	Muddier	Ripped	Vast	

```
S A U T É D P B V A N C E S T O R
C A A A E E S A A S  E T G P A E
U O L C T A E L T K W L N F O E A
M I N T E D N L S A I O A W L S C
D Y N A S T I E S H L S B V Y U T
S A W E U T O P I A L L T C S B S
K B T O E G R I S T L I E R S S S
I A T A R U R I N D I G N I T Y E
P T M T B D T A U T D R I B S C C
O T H E R S Y B T P E E U R I O H
V E E N A D N U L I T N D N T C O
E R R V O I U L E M N O D G T K A
R E A O A G N L T B A R J E E L O
I D L T O N C E S U L T I T L E N
O B R S C U L T E E N A S U E S T
H E R R N S E S U D S E M P U M A
C U R R I C U L U M V I T A E N P
```

Along	vitae	Gristlier	My word	Sauté	Temp
Ancestor	Dead	Hera	Need	Scum	Tilt
Asset	Dips	Herr	Nice	Senior	Title
At all	Dribs	Hilts	Nuclei	Skip over	Tune
Au gratin	Dulses	Imbued	Nutlet	Slavs	Uncle
Avast	Dynasties	Indignity	Oaten	Spec	Up to
Awls	Echo	Intend	On tap	Subs	Utopia
Ball	Edge	Isle	Once	Suds	Vats
Battered	Eels	Jism	Others	Suer	Vest
Bloody	Egos	Kame	Otto	Sues	
Bullets	Etch	Kant	Pate	Swill	
Burp	Etna	Kist	Polys	Swob	
Certain	Flus	Lama	Puma	Synced	
Cockles	Get up	Mats	React	Tabs	
Crib	Girt	Minted	Runt	Tact	
Cult	Gnus	Moat	Salon	Tael	
Curriculum	Goes	Mulla	Salts	T-bar	

```
L F H A P P E N S T P S P O T H S
I A U B R E E M S L G O D E M E Y
E T M L B A R E U E H K J E V R O
A A H E A D B P L S I H A A A R C
R O S E S C Y A E S C K W E N I T
A S K O E U K G T N A F W P L U M
C E H F N S A E U S D A T E A S T
H C K I E C P P D G D I N T E N T
E R W E E D L A E O S R C L U M P
N E C K S A N R Y O U Y K U A L O
O T H T V W P B I S M C O A L P T
S S O I O O A T A E I A R E M A B
B I R D L W E M I T X I T I S O R
R R D L O K O L A B E L L I N G A
A U A R N N X A V I G L O D E N K
N G M I N J E C T E D T A R T E E
D R Y D N I N E P E S U P X E W S
```

Able	Cages	Her	Legs	Pays	So
Adds	Chord	Hi	Less	Peel	Swam
Ahead	Clump	Hum	Let	Peg	Tell
Apt	Coal	If	Lie	Perpendicular	Thee
Arc	Den	Ill	Limp	Pet	Tickles
Are	Down	Injected	Mat	Plum	Tie
Art	Dry	Ink	Mix	Pulp	To
Ask	Earache	Inn	My	Punch	Up
Ate	Echo	Intent	Necks	Ram	Us
Ax	Elves	Is	Net	Rid	Van
Base	Fairy	It	New	Riot	Waves
Bat	Fat	Jaw	Nine	Rival	Weary
Bird	Fed	Jet	No	Roses	Weed
Brain	Gallop	Labelling	Nut	Row	Win
Brakes	God	Lacked	On	Rug	You
Brand	Goose	Lame	Ore	Secrets	
By	Happen	Lap	Oxen	Shop	

```
S P O O N C A S I M P L I F I E D
F O L K L O O M G P S I G N B G N
G O R A E M U L N W A N G R O W T
I L U R J P A N O C U K R R O C K
R Q U H Y A T L R R R A F T K H L
E A S E L R P J E O E O X E N A E
V O T E D A D A P T G E S A U R A
O O W L S T L I N E R D E S C A K
L O P N T I W L H A E R U T A C H
V E D U O V O A D E T C O U R T S
E S O C L E M F R A R R H O E E C
M O E N O L A T F O D O A O F R A
A N S T L L N E S I O S L P U I R
D S N A I Y T A L N C M L E L S A
E I T P V R A R E N K E Y N L T V
P I A E E E E L P E M E R R Y I A
V I O L I N D Y T R I E S R T C N
```

Adapt	Early	Leak	Pork	Spoon
Ally	Easel	Line	Pull	Tape
Book	East	Link	Raft	Tear
Caravan	Echo	Loom	Rare	Tire
Carefully	Equal	Made	Reeds	Town
Characteristic	Folk	Male	Regret	Trap
Coil	Frog	Merry	Revolve	Tree
Color	Glue	Noun	Rock	Tries
Colt	Grow	Officer	Roof	Usual
Comparative	Heel	Olive	Room	Violin
Courts	Hero	Only	Rung	Vital
Cross	Ignore	Open	Saved	Voted
Dads	Inner	Owls	Sign	Vowel
Dare	Into	Oxen	Simplified	Woman
Dial	Jail	Pint	Slept	
Dock	Japan	Plows	Sons	
Doesn't	Kept	Pool	Sorry	

Puzzle 112

```
F E T A L E N D Y E A R L Y S R C
K N E W W S Q L F R I G H T R L A
P L A C E Y L U C K B R I B E A N
M H R X L A M E A H L F E G L O S
E A O U L B S A X L A A N S A V E
S B J W S F R Y T I S I K I T E S
I A O O L T I E S H T R N T I N Y
N N A R R O W E A A E Y H S O O S
S D C M E S S C L K P M E K N I T
P O M R O S E U I D S B A G S T O
E N B E E R T B S D S U R T H E N
C E A R E A E E E E A N R C I M E
T D D G R L S K V M S N A P P C S
L N N G B H A I E K I Y Y T S H S
U U N A E B A W N O A M L Z O O S
H O N N B A S I S G R I E F R M E
C O N G R A T U L A T E S S E E S
```

Abandoned	Breaks	Gang	Luck	Stones
Able	Bunny	Grief	Lung	Tear
Ally	Cans	Hail	Major	Then
Area	Chains	Home	Mathematics	Ties
Army	Congratulates	Howl	Mimes	Tilt
Array	Congratulating	Hunger	Narrow	Tiny
Asia	Cube	Increasing	Oven	Toss
Atoms	Dresses	Inks	Place	Undress
Bags	Easy	Inspect	Relationships	Uses
Baked	Edge	Item	Rest	Well
Basis	Equal	July	Rose	Worm
Bean	Even	Kite	Rust	Yacht
Beer	Exit	Knew	Save	Yearly
Bike	Fairy	Knit	Sees	Zoos
Blast	Fields	Lame	Sits	
Bore	Fits	Laws	Snap	
Boxes	Fright	Lend	Snow	

```
H A R D S H I P S E P A R A T E D
U C L A I D L N T B P B A G S W E
N R O B E A Y A C D W I N E A K M
T E D N E D G E D H E I E S A E S
E S O R C H A R D L T A G S T E M
R G R Y O E A R A R U I R I S H L
S O Z S M P N Z A M J M I D E A O
H A S K I N G T E B S H P E C A C
L E G E N D S H R L A A I O U D K
M D L I G O R E L A X C L R R A V
E U A L R L V M Y N T A K A E P P
T M C O O L K L A K E I Y E K T L
R B L L C E K O R S S H O W D E A
E O L L E R I V N C K L N N E S N
S A A L A W N E J O I N L F G R E
T R S D N M D N E A R B Y U R G E
O S E E S R P A R L I A M E N T Y
```

Acres	Drop	Irish	Metres	Robe	Were
Adapt	Dumb	Item	Mugs	Rose	Wine
Ages	Dyed	Jigsaw	Near-by	Sake	Yard
Asking	Ease	Join	Oars	Seal	Yarn
Asks	Edged	Kind	Oceans	Secure	
Backed	Feel	Laid	Odor	Sees	
Bags	Gate	Lake	Only	Separated	
Blanks	Girl	Lamp	Oral	Show	
Coal	Gone	Lawn	Orchard	Side	
Coming	Grip	Lazy	Oven	Sleek	
Concentration	Hardship	Legend	Parliament	Solo	
Cool	Haze	Local	Pies	Starting	
Darkly	Hello	Lock	Plan	Stem	
Dear	Hire	Lump	Rail	Tall	
Dense	Hunters	Main	Real	Them	
Diagrams	Idea	Mask	Relax	Urge	
Doll	Inch	Mess	Roads	Verb	

```
L  J  E  B  D  E  E  D  B  O  R  N  P  T  L  S  S
A  A  A  B  E  A  R  U  P  A  U  S  E  A  G  E  U
N  Z  Y  W  A  E  L  E  S  U  N  S  U  G  Y  T  P
E  Z  U  E  S  C  R  E  A  D  D  S  E  E  O  S  E
S  S  N  E  R  A  K  D  E  S  U  D  R  D  U  N  R
A  L  L  P  B  S  E  H  F  N  Y  E  L  L  D  D  M
V  I  O  L  A  T  E  W  U  R  E  D  P  E  L  I  A
H  D  A  W  A  R  P  E  E  G  E  E  O  O  S  V  R
I  I  D  L  E  D  E  A  L  R  E  E  D  M  I  I  K
D  L  E  W  N  H  Y  M  O  D  E  R  O  S  E  N  E
E  R  E  U  T  O  O  N  A  N  O  T  H  E  R  G  T
K  N  O  W  N  B  G  S  K  W  A  F  A  V  O  R  S
O  R  G  A  N  I  Z  A  T  I  O  N  S  L  A  M  P
I  I  I  S  N  T  F  A  W  A  T  C  H  E  D  L  T
S  P  E  N  D  S  A  O  C  T  O  P  U  S  E  S  H
G  E  J  O  K  E  R  X  R  T  E  A  C  H  I  D  U
N  E  R  V  E  S  M  H  I  M  S  E  L  F  H  T  D
```

Acts	Easy	Jazz	Piano	Taxi
Aged	Eggs	Joke	Plus	Teach
Another	Eyes	Keep	Point	Thee
Atom	Farm	Knee	Puddles	Thud
Back	Favor	Know	Read	Toes
Bans	Fist	Lady	Reed	Uniform
Bare	Free	Lamp	Related	Unload
Bear	Fuel	Lanes	Ripe	Unusual
Beer	Help	Layers	Rose	Used
Bits	Hide	Mode	Round	Violate
Born	Himself	Needs	Seed	Watched
Club	Host	Nerves	Sets	Weep
Deal	Huge	Newer	Slid	Were
Deed	Ignored	Octopuses	Slow	Word
Dial	Inks	Organizations	Spend	Yell
Diving	Isn't	Pause	Suns	You'd
Dome	Jaws	Pays	Supermarkets	

Puzzle 115

```
M O D E A A W H O A S I S D G A K
S G U L F U N I G P L A N N L R P
C L O C K S N N F P E A I L A V A
A B L E U B I T O A L R M D O V W
T M A I D V L G S Y I A A T L A S
T C D Z L A N E I M O R Y K C N N
E A H O T I T W D R N E Y G O I P
R J S O W N G A E M S B U R N S U
N U T S I B E H A V I O R A S H N
T N I O G R A S T A E G N B E E I
O K G M S S R S T H W Y H S Q S S
C O E I D S U R E S O O A T U L H
C H R N B R A C E S O U T R E Y M
T L A D D I F O A M L D S E N E E
E R A S E S T E R R O R E E C A N
B E L W E R P E S C A N S I E H T
B O O T D D T R I C K B M E S S O
```

Able	Choir	Hero	Nests	Said	We've
Admiring	Claw	Hint	Nuts	Scatter	Wing
Annoy	Clocks	Idea	Oasis	Solving	Wool
Arab	Consequences	Junk	Onto	Sons	Yarn
Atlas	Dark	Knee	Opera	Sure	Yeah
Aunts	Data	Land	Order	Term	You'd
Bases	Deed	Lane	Paws	Terror	Zoos
Bead	Ears	Lava	Peas	Them	
Behavior	Echo	Lighthouse	Plan	Tiger	
Bite	Ends	Lions	Play	Toes	
Bled	Erases	Loan	Punishment	Toss	
Boot	Fairy	Maid	Radar	Total	
Braces	Foam	Mess	Radius	Tree	
Brands	Gear	Mice	Rare	Trick	
Burns	Grab	Might	Read	Twigs	
Cans	Gulf	Minds	Roam	Vain	
Chased	Hats	Mode	Rust	Vanishes	

```
B  S  F  U  D  H  L  U  N  G  J  A  S  H  O  R  E
O  E  E  R  G  L  E  E  B  E  E  N  P  W  I  K  F
R  C  A  A  A  S  S  I  S  T  W  C  A  O  C  K  U
G  W  R  T  Y  N  E  G  G  S  S  R  N  I  O  E  E
A  D  P  O  P  S  T  W  E  H  D  A  T  A  M  L  L
N  E  J  U  M  P  E  I  S  N  T  I  E  S  B  N  S
E  N  A  V  Y  E  R  E  C  O  R  D  N  A  I  T  D
E  S  I  R  S  C  A  R  K  T  I  I  D  H  N  U  A
D  E  L  E  S  E  X  T  R  A  A  A  T  L  A  S  V
C  O  M  M  U  N  I  C  A  T  I  O  N  S  T  K  I
A  O  O  A  N  F  G  Z  R  I  P  E  N  N  I  S  B
B  D  O  R  Y  N  O  U  E  O  B  E  Y  S  O  W  R
U  M  D  K  U  P  C  R  N  N  R  U  L  E  N  Y  A
G  O  S  S  N  V  A  S  T  T  O  I  R  F  S  G  T
S  A  K  W  I  E  N  N  E  M  O  O  N  Y  I  I  E
K  N  O  T  T  E  D  M  S  A  M  A  Z  E  D  V  A
I  D  E  N  T  I  F  I  C  A  T  I  O  N  Y  E  E
```

Able	Cries	Fuels	Moan	Scar
Adds	Curtains	Gets	Moods	Seek
Amazed	Data	Give	Moon	Seize
Annoy	Dense	Height	More	Sews
Aren't	Door	Hike	Navy	Span
Ashore	Down	Idea	Notation	Sung
Assist	Drag	Identification	Obeys	Tall
Atlas	Draw	Inks	Oils	Tear
Award	Ears	Isn't	Organ	Tend
Beat	Eggs	Jail	Pans	Tens
Been	Enjoys	Jews	Pool	Thin
Broom	Extra	Jump	Pops	Tick
Bugs	Eyes	Knotted	Raid	Tusks
Bury	Fear	Less	Record	Unit
Combinations	Five	Lung	Remarks	Unto
Communications	Fort	Meat	Ripen	Vast
Cook	Frantic	Metre	Rule	Vibrate

```
S C L O V E R W H E L M I N G L R
E P A U S E F O U N D E D A O A S
W F R L A N D O O S E N R T E M U
S O L E M N A L T M B D P D M E C
V I R E A C H I I W T E A R C H C
F N E E D D N T L A L O A F O E E
S J D U S K I W L S T W I N U E S
H U B P W N C O N N E C T I N G S
A R E A S E E S N T O L O A T H F
R E E D R W T A X C A S R O S S U
K D B U L S B E R R E C E A K H L
S A C L E R T S U Y A D O C U T L
Y O I H U S E R R O R Y U P N N Y
U K C O I N S O O U A R T S I Y T
S U Y H U N T E R D T D A F T E R
M O T T A S T R O N O M E R S L D
C O P P E R P A C K M R B U I L T
```

After	Copied	Knew	Pause	Toad
Arch	Copper	Knits	Reach	Tore
Areas	Counts	Lame	Reed	Trucks
Arts	Crane	Land	Room	Tunes
Astronomers	Cure	Loaf	Rural	Twin
Atom	Dear	Mend	Sews	Twos
Aunt	Debt	Much	Sharks	Unit
Bars	Drag	Nails	Skill	Urban
Bean	Dusk	Near	Slept	Warm
Blunt	Dust	Need	Solemn	Wasn't
Built	Error	Nice	Spread	Wool
Calm	Fills	Nose	Story	Wore
Chests	Fled	Oath	Successfully	X-ray
Chin	Founded	Odor	Test	Yell
Coin	Hunter	Once	Text	You'd
Connecting	Injured	Overwhelming	This	Your
Cook	Keep	Pack	Till	

```
W O R L D W A Y S E N S L O W J S
A E C H O D A D S D N T A S S T T
G L A D C W E T D G R I M K N O R
E I N K H K E N I O S E C O E O A
Y I R G I B A E S T T A W E Z B W
W A I L L R N N I N S T A N T S
P H A D L A T E C S T B R O K E N
I E E H Y K M A Y H G Y I W R A P
R L C T A U D S P E O O P E N R L
B L N O R R M U M S S R H A U L P
R U L T N R S A E L T W I N I M E
A C S S O T L H A I E T T K U D A
S N T F R Y A S K S E E S L I T K
I R I H E O S C L T L X P X C N I
A N S W E R O E T H A T O A U A C
U U M S D R L F O I L I X J R I K
R A N K S C O N S I D E R A B L E
```

Alike	Density	Instant	Plum	Steel
Also	Dioxide	Instruments	Rank	Straws
Anchor	Drew	Items	Razor	Taps
Answer	Echo	Junk	Real	Tear
Arts	Elsewhere	Kick	Reeds	Text
Asia	Exact	Lame	Reign	That
Asks	Eyes	Land	Rock	Toys
Aunt	Foil	Late	Roofs	Trip
Bets	Girl	Liked	Rush	Twin
Bled	Glad	List	Sake	Uniforms
Broken	Grim	Lump	Skill	Wage
Chilly	Harsh	Mums	Slit	Ways
Cloak	Haul	Nail	Slow	Weak
Considerable	Hell	Nice	Snacks	Window
Contact	Hero	Open	Snow	Wont
Curb	Highway	Paid	Solo	World
Dads	Hits	Park	Sort	Wrap

Puzzle 119

```
L E A D E R I S O A K S H I N E S
R S E F L E D P L C I S C M U G S
T G P R I U E U S I N K S A P S R
A I A U T S M L O D D I P Z R A L
B R L S N P H P L O L M Z A E A A
L L E L C R E P O N Y U O G S D L
E R U N N E R G F P B A N G E V A
S E L S E G I U L A I I C G N A B
C L B O H N N E O I T N E S T N O
O R I F E A C S U A M A K N I T R
M T E T R N O S R Y T P P P N A A
P L O W S T M O H A T S S S G G T
L C L U A P P L E A P A I L N E O
A L V E R A L B E A R S A I E S R
I A D E V M E R E G U M S F K E I
N I N E T Y T L P A S S I S A K E
S M O K E S E S E E M S A R E A S
```

Acid	Evaporating	Isn't	Pail	Skim
Advantages	Feet	Kindly	Pale	Slid
Aged	Fish	Knit	Pass	Slit
Apple	Fled	Laboratories	Pink	Smokes
Areas	Flour	Leader	Plows	Soak
Asia	Gear	Leaps	Pony	Soft
Asks	Girl	Legs	Pregnant	Solo
Bang	Good	Limp	Presenting	Spin
Beam	Grasp	Lump	Pulp	Spun
Bears	Guess	Lung	Rest	Tables
Beat	Gums	Mere	Runner	Taps
Blush	Harm	Mugs	Sake	Till
Buzz	Hers	Nest	Scar	Tour
Claim	Hymn	Ninety	Seems	Treat
Complain	Idea	Oars	Shines	Vets
Crew	Incomplete	Oats	Side	
Else	Inks	Once	Sing	

Puzzle 120

```
T I G H T T E R M M S E R V E L I
A H R E I A E A C H V A S R E E D
F A I R H D R E S O R T L V N S O
T L N S L J E K L E U A O T F S U
E R U O C U P S N B V N S S O H B
R P U T A S W P S O O I T P R A L
F O S B E T W E E N W W L L C D I
B A S E S M S B V T N N I A E Y N
M O U A U N A B L E S A Q S E S G
G E O L I S E L D O M O U H N W S
R C T T T T I E T O F F I C I A L
A B L R I H Y L R S E T D S A N G
N I A H E E E U V O U S Y A M N R
T H W N S M O M S E A N E S O Z E
E A S N A H E P A P R D G M V O W
D R E C I N V E S T I G A T I O N
A D V I C E A C T S E N E W E S T
```

Acts	Each	Investigation	Older	Sung
Adjust	Ease	Known	Oval	Swan
Advice	Eggs	Laws	Owns	Term
After	Elbow	Liquid	Pebble	Them
Among	Enforce	Lofty	Push	This
Arts	Eyed	Lost	Reed	Tight
Banana	Fair	Love	Resort	Tilt
Base	Fault	Lump	Road	Twist
Between	Flute	Mail	Rubs	Unable
Boot	Granted	Mast	Salt	Used
Camel	Grew	Mate	Sang	West
Cane	Grin	Meet	Seldom	We've
Coast	Hard	Melt	Serve	White
Countless	Hers	Metre	Shady	Zoos
Cups	Hide	Movie	Silver	
Dense	Hill	Novel	Spin	
Does	Hour	Oats	Splash	
Doubling	Idea	Official	Suit	

```
U N L O A D I S S U E S R R U S T
R L I M B S W H E E L I E A E E W
A S T O N E S A H E A T T V N S H
N H P A S T T C I F S O L O E G A
I U T T E R I I C U K O L S P N R
U G M O R E N D L C W Y S P L S D
M E P B I M T C O T N I S S A I E
S C L U E P O N W V K I D S N G R
E H J L S R K S N P E N N E D H E
G U O L I O N T S R E N D O C K S
A S I W W F L A T S U A L S T E P
L E N N S I E I O M O L D D U X E
L S V W D T G R D T S L E S R C L
O M O I O O S B I S U E A E N U L
P N A T L R O M L O N E D R E S S
S M R S L I D R C U S L A I D E D
S H U T S A R U S H E S S R E D S
```

Acid	Gallops	Maid	Rushes	Step
Admit	Harder	Mass	Rust	Stones
Blue	Heat	Mold	Seas	Suns
Bull	Huge	More	Sees	Tilt
Clowns	Indoors	Moss	Sends	Toad
Clue	Into	Need	Series	Tops
Cluster	Issues	Number	Sews	Turned
Could	Join	Nylon	Shows	Unload
Dead	Kids	Oven	Shuts	Uranium
Docks	Kisses	Page	Sigh	Uses
Dolls	Knock	Past	Slid	Utter
Dress	Laid	Penned	Snows	Wheel
Elder	Legs	Plan	Solar	Wide
Even	Life	Poet	Solemn	Wits
Evil	Limbs	Profit	Solids	Wolves
Excused	Lion	Rang	Solo	Word
Fair	Lodge	Reds	Spell	
Flats	Lone	Rule	Stair	

```
C A M P I A W A Y F D P L A Y S N
D P O E H O N O R E X I S T E D E
F I R I N G S Y W E V E C T A R G
W L E S S T B E S T A S A R T S O
F E L T N E I A X A N K L E E S D
U W R A D V E R T I S E M E N T S
O N C E W R O S E S T E X O T I C
S A C O N S T R U C T I O N P L I
V I R L U C K I E R O M R L P L R
N R B R E A D T E A R A M O A N C
A C C O M P A N I M E N T A I S A
U P S I D E N E P A N E L V N A K
C O P E M I L Y T R I C K E D Y E
W L D E A X E E O I N V E S T S S
D I A L A T N S V N T K I S P O T
W C S W O R D S E E O B O N E I I
N E P H O T O G R A P H I C E G N
```

Accompaniment	Claw	Host	Once	Still
Advertisements	Coat	Inner	Over	Swords
Ankle	Construction	Into	Owls	Tear
Ants	Dial	Invest	Pain	Tore
Appear	Diet	Keen	Panel	Tree
Area	Earn	Laws	Photographic	Tricked
Arrow	Ease	Lend	Pies	Uncle
Arts	Eaten	Less	Pile	Upside
Away	Entire	Loaves	Plays	Vacant
Axle	Existed	Luckier	Police	Vans
Bats	Exit	Many	Roses	Viewed
Best	Exotic	Marine	Says	Vine
Bodies	Eyes	Meat	Seat	Were
Bone	Feet	Metre	Sees	We've
Bread	Felt	Moan	Skates	Wide
Cakes	Firing	Moon	Snow	Wish
Calm	Gods	More	Spin	Years
Camp	Honor	Nice	Spot	

```
C O N G R A T U L A T E L A W S F
A O L A A D I D N T R L O T S O O
U H A P I U C O R D U O W E P T O
T U C L N L I N E P E A R V I V T
I N R A S T H U M P C T T I T L E
O T E I A S E U A I S H R L E E A
N S S N C O N T R I B U T I O N S
Z F U M E S I F M T A B L I P S H
I O D R Y X A D I F K E E D W K O
N M O D E L A N H E E L A E R O R
U S E S S E U C D F D E N A S P E
P O S S H E L P O D B U D S L E T
P A I A S S A T I S F A C T O R Y
A K R L S E T R E E T B R K T A I
Y C S T E P D O T V H L E A S T N
S T I R Y D G I W E E K Y A B E G
S F F D M A K E R N M O M E N T S
```

Acid	Does	Ideas	Oath	Sure
Acres	Ducks	Kiss	Oiled	Tape
Adults	Even	Kite	Operate	Them
Africa	Evil	Laws	Party	Thump
Arab	Exit	Lean	Pays	Title
Ashore	Eyes	Least	Pear	Town
Baked	Feed	Lens	Plain	Tree
Bean	Feel	Line	Pull	Trip
Bees	Fits	Lips	Rains	True
Buds	Foot	Lots	Riddle	Tying
Caution	Free	Maker	Salt	Unit
Coal	Fumes	Messed	Sand	Uses
Congratulate	Goes	Model	Satisfactory	Week
Contributions	Headmistress	Moments	Slot	Wept
Cord	Heel	Nail	Soak	Zoos
Costly	Help	Nation	Spite	
Dark	Hunts	News	Step	
Didn't	Hurt	Noun	Stir	

Puzzle 124

```
R A I N P S S B M A S S I V E H A
U A S T I R S P U A C T U A L S H
G O N E G F O A I S I R U P N H A
S C T K S T R O U N E D E O C U I
B O O T S H R O F C E S I F O T R
L R A N Y L O N M S E T H I R S T
B E O K V R V C A P A S S S K P C
S E N A E E E K R H N L H M E O
Y I G S R D R A T S A A K A O O R
W U S U C C E S S F U L L Y P E D
G Q T R N R I T A Q A C B F U C S
I U E I A N I C E T I E S O P A L
F I M E I G O A L E I D L E I L U
T Z D M O Z R L O A R O T K L L N
S I D H E R O E S M E A N S O L I
B A C K E D O N E S F A S S I S T
V E E K A S I D E D B R E E Z E S
```

Acre	Core	Half	Pigs	Spine
Actual	Cork	Heroes	Proof	Stem
Administration	Dear	Idea	Pupil	Stir
Agreed	Doll	Idle	Quiz	Stop
Area	East	Increased	Rain	Successfully
Aside	Echo	Isn't	Ranks	Talk
Assist	Equals	Lamp	Rats	Teams
Backed	Erase	Lend	Roar	Thirst
Bank	Fans	Lens	Rugs	Tick
Begun	Fate	Lose	Sank	Ties
Boil	Fish	Maid	Sauces	Tyre
Boots	From	Massive	Seats	Units
Breeze	Future	Means	Sell	Wink
Buses	Gifts	Nice	Shock	Zone
Call	Goal	Nylon	Shoes	
Clam	Gone	Ones	Shuts	
Conversations	Gummed	Over	Sirup	
Cords	Hair	Pass	Soaked	

```
F L O W E R I N G P A I N S D S B
P O E M A X A R E A U O C U T S L
M O R A L K I D O S N V O N L Y U
O K E T K F E T I N T Y A R N E E
R S G C H L A S A O S W X I G G G
E A A H H O A C A L S O L D N N L
T O R N A O S C T T H S E I I A O
S U D E K R P H R U E C T D N I V
U N E W T M S E S E A S N O E L E
F I D H H U P H T F L O I O R M S
F O M A R X W U A S P T N U S E S
E N C T E A C H R S A B S I C E S
R S O U E E D E C K L O H O T D
I H P C S C R R U A S O R W O N T
N A I A I A R D I R T O B L E W S
G U E L Y O E E R F O D U S E D N
J L S L C S W A M P S C O P P E R
```

Acre	Dirt	Irons	Pets	Swamps
Also	Ease	Juice	Poem	Swan
Ants	Echo	Leak	Poor	Teach
Area	Edge	Looks	Radio	Threes
Aunt	Educational	Lots	Rare	Torn
Axle	Exit	Match	Regarded	Unions
Blew	Experts	Meet	Rush	Used
Blood	Faced	Moral	Sank	Uses
Blue	Fact	More	Scarf	Vain
Bowed	Floor	Nail	Seas	Wakes
Call	Flowering	Nest	Send	What
Cannon	Focus	Nine	Shown	Wheat
Copies	Forth	Nose	Slice	Wont
Copper	Gloves	Oasis	Soup	Yard
Corresponding	Harsh	Onions	Stare	Yarn
Cute	Haul	Only	Sting	You'd
Cuts	Heal	Pains	Stores	
Deck	Ices	Pays	Suffering	

Puzzle 126

```
P O T T E D K M D A W N P L O W F
Y C L H I O I I I S U E D P O E
D O C K O L M I D D L E N T I O A
C N Y H S U L I N S E A S M N D R
T D I O E P W U T P E A R S C E S
I E R S G R O W S O E E L G H N I
N M O M I S S R Y T P A R C E L S
T N N A T O L M T S R I R E A D Y
R E S I B F R E E O T A E L X L L
O D H N C A L M D S N V T R A I L
D A R E S F S E M G A M E I A O T
U S W M L L E I F S E N S H O R T
C O K A I P A S S T H U D C L N A
I L H A Y L M V N G D I A L U O S
N A M E C A D E A R C R A B G B H
G R R L L A W S P A S H R I L L E
S P A C E S E C O B W E B S Y E S
```

Acid	Dear	Idea	Nose	Slim
Archer	Dial	Illustrations	Omit	Snap
Army	Didn't	Introducing	Oral	Sofa
Ashes	Dock	Irons	Parcels	Solar
Away	East	Issued	Pearl	Sound
Basis	Exit	Kids	Pears	Spaces
Call	Fears	Large	Pens	Sperm
Calm	Free	Lava	Pinch	Sport
Claims	Game	Laws	Plow	Spot
Clams	Grab	Ledge	Potted	Stir
Cobwebs	Grow	Left	Prey	Thou
Colt	Hail	Mails	Ready	Thud
Condemned	Half	Main	Sand	Trail
Cool	Hall	Middle	Save	Ugly
Crab	Help	Mild	Seam	Went
Cube	Hers	Miss	Seas	Wooden
Dares	Hits	Name	Short	Yo-yo
Dawn	Hook	Noble	Shrill	

Puzzle 1

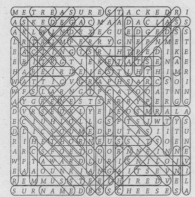

Imagination

Puzzle 2

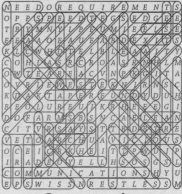

Opportunity

Puzzle 3

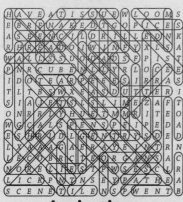

Aspirations

Puzzle 4

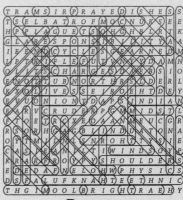

Beauty

Puzzle 5

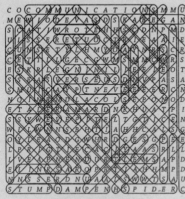

Commitment

Puzzle 6

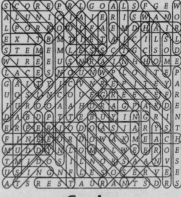

Genius

Puzzle 7

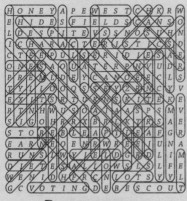

Perseverance

Puzzle 8

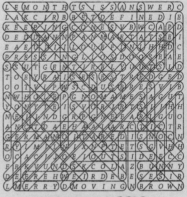

Live a good life

Puzzle 9

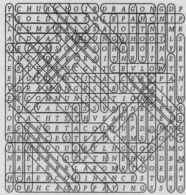

Forgiveness

Puzzle 10

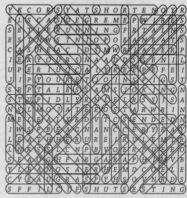

Ecofriendly

Puzzle 11

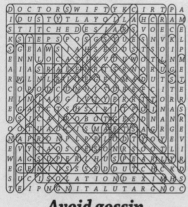

Avoid gossip

Puzzle 12

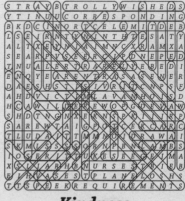

Kindness

Puzzle 13

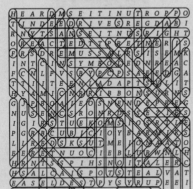

Integrity

Puzzle 14

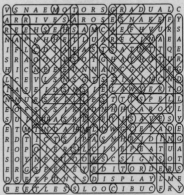

Character

Puzzle 15

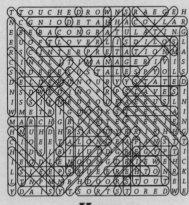

Hope

Puzzle 16

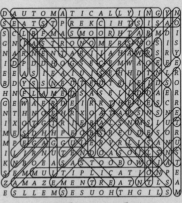

Help people

Puzzle 17

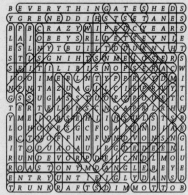

Be tactful

Puzzle 18

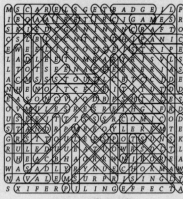

Give thanks

Puzzle 19

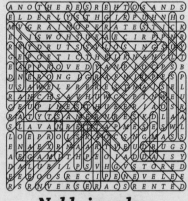

Noble impulses

Puzzle 20

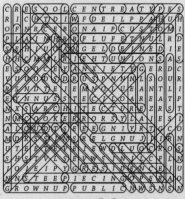

Friendship

Puzzle 21

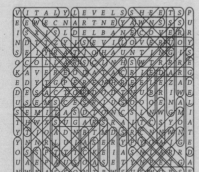

Love your life

Puzzle 22

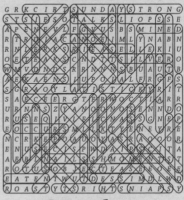

Green planet

Puzzle 23

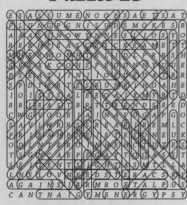

Believe you can

Puzzle 24

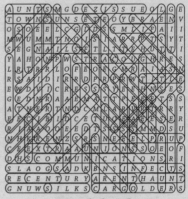

Good deeds

Puzzle 25

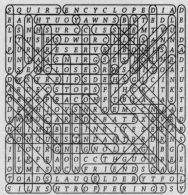

Admire success

Puzzle 26

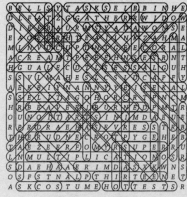

Have no fear

Puzzle 27

Reach high

Puzzle 28

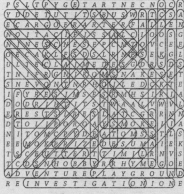

Plant a tree

Puzzle 29

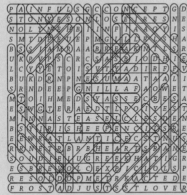

Stay true

Puzzle 30

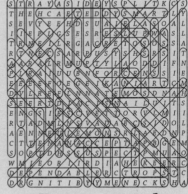

Keep your word

Puzzle 31

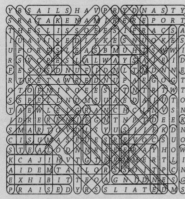

Happiness

Puzzle 32

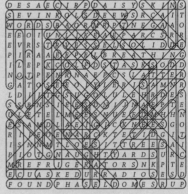

Resolution

Puzzle 33

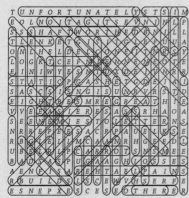

Tolerance

Puzzle 34

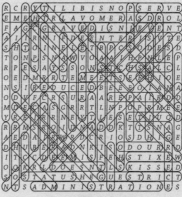

Candidness

Puzzle 35

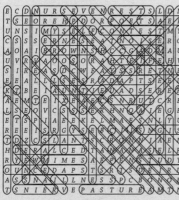

Confidence

Puzzle 36

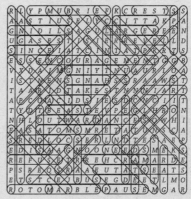

Karma

Puzzle 37

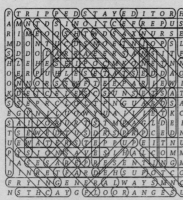

Dreaming

Puzzle 38

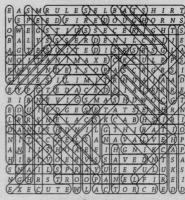

Ambitions

Puzzle 39

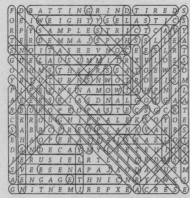

Courtesy

Puzzle 40

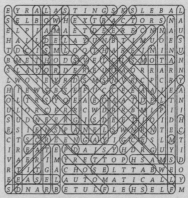

Pearls of wisdom

Puzzle 41

Patience

Puzzle 42

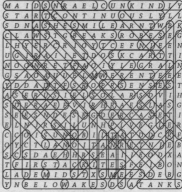

Listen

Puzzle 43

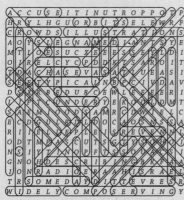

Fidelity

Puzzle 44

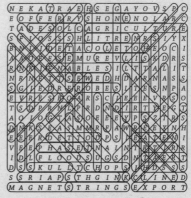

Set your goals

Puzzle 45

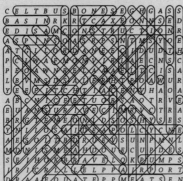

Care what happens

Puzzle 46

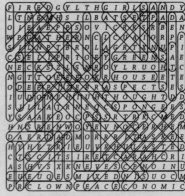

Giving to others

Puzzle 47

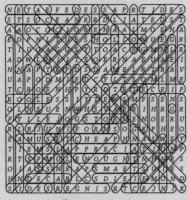

Openness

Puzzle 48

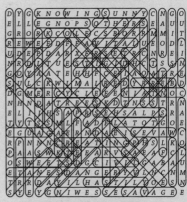

Sustainable

Puzzle 49

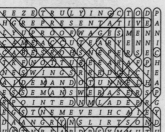

Allegiance

Puzzle 50

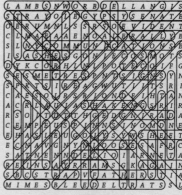

Unselfishness

Puzzle 51

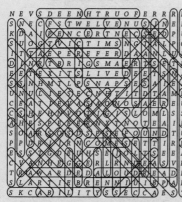

Never resort to hate

Puzzle 52

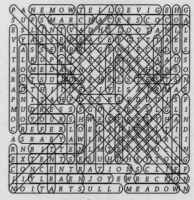

Assistance

Puzzle 53

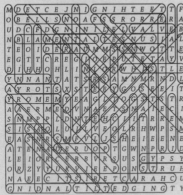

Admire beauty

Puzzle 54

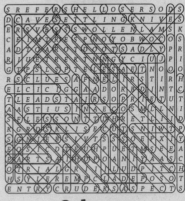

Oak trees

Puzzle 55

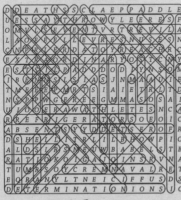

Rainbow arc

Puzzle 56

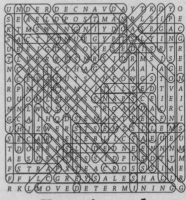

Yosemite park

Puzzle 57

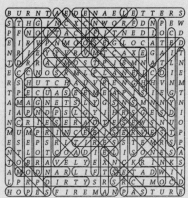

Dewdrops

Puzzle 58

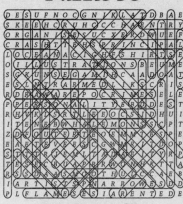

Be charitable

Puzzle 59

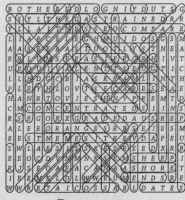

Reverence

Puzzle 60

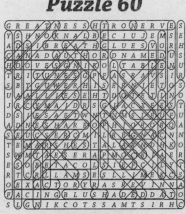

Heroines

Puzzle 61

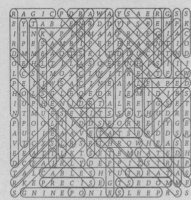

Praise others

Puzzle 62

Smile easily

Puzzle 63

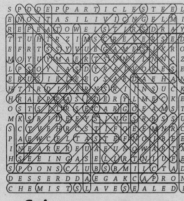

Seize your moment

Puzzle 64

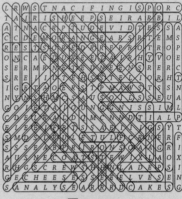

Trusts

Puzzle 65

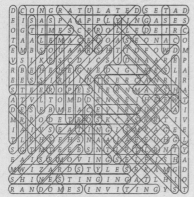

Positively

Puzzle 66

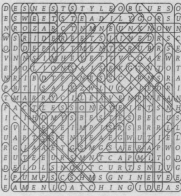

Succeeds

Puzzle 67

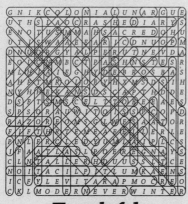

Thoughtful

Puzzle 68

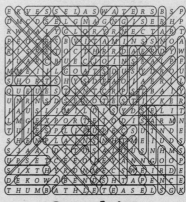

Spreads joy

Puzzle 69

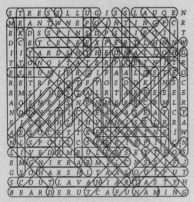

Inner strength

Puzzle 70

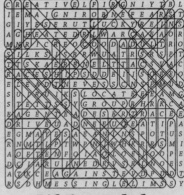

Life is a melody

Puzzle 71

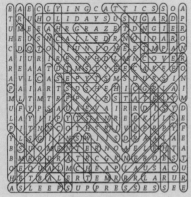

Courage

Puzzle 72

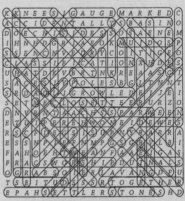

Inner strength

Puzzle 73

With grace

Puzzle 74

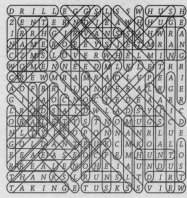

Service

Puzzle 75

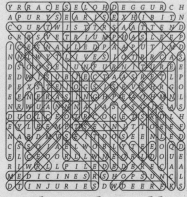

Change the world

Puzzle 76

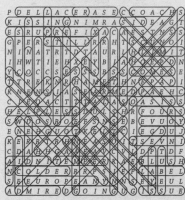

Peaceful

Puzzle 77

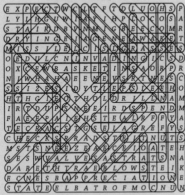

Fly where your dreams are

Puzzle 78

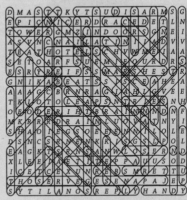

Make friends

Puzzle 79

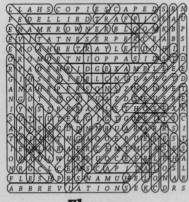

Flowers

Puzzle 80

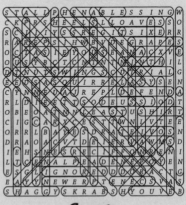

Create

Puzzle 81

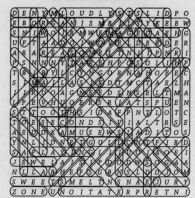

Power of imagination

Puzzle 82

Amazes

Puzzle 83

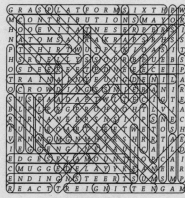

Honesty

Puzzle 84

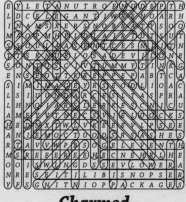

Charmed

Puzzle 85

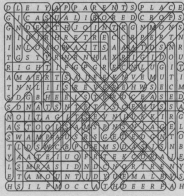

Inner strength

Puzzle 86

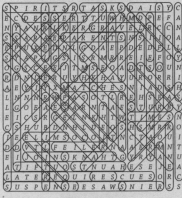

Focuses

Puzzle 87

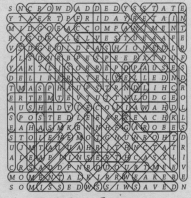

Spiritual person

Puzzle 88

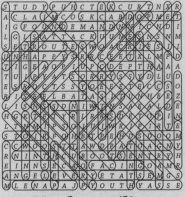

No glass ceiling

Puzzle 89

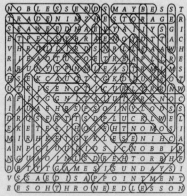

Stayed positive

Puzzle 90

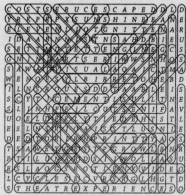

Kindest

Puzzle 91

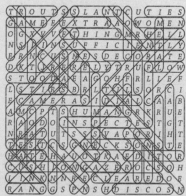

Unselfishness

Puzzle 92

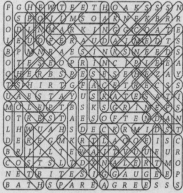

Greatness

Puzzle 93

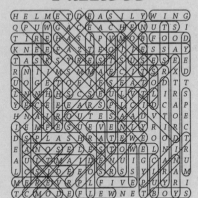

Quiet heroine

Puzzle 94

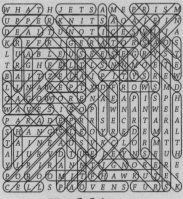

Healthiness

Puzzle 95

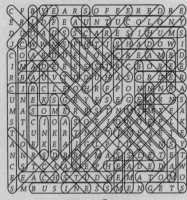

Freedom

Puzzle 96

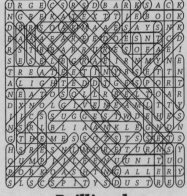

Brilliantly

Puzzle 97

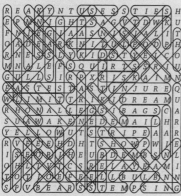

Enthusiasm

Puzzle 98

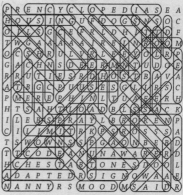

Reach for the stars

Puzzle 99

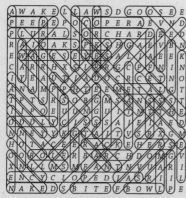

Dependable

Puzzle 100

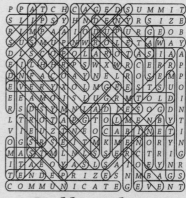

Problem solvers

Puzzle 101

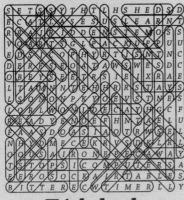

Think clearly

Puzzle 102

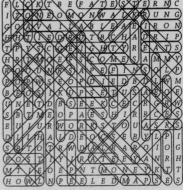

Be competent

Puzzle 103

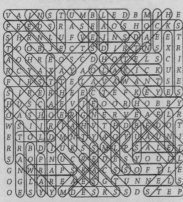

Be a force for good

Puzzle 104

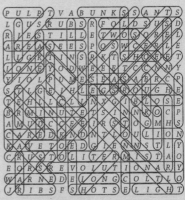

Value yourself

Puzzle 105

Set goals

Puzzle 106

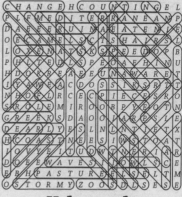

Help people

Puzzle 107

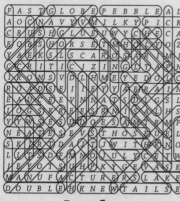

Loyalty

Puzzle 108

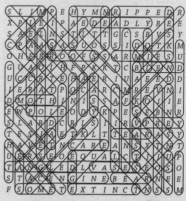

Express yourself

Puzzle 109

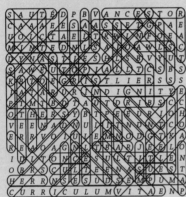

Passion

Puzzle 110

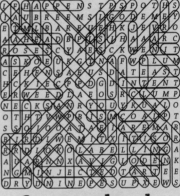

Storms make oaks take roots

Puzzle 111

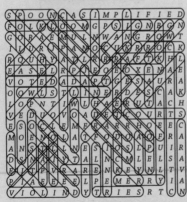

A patient heart

Puzzle 112

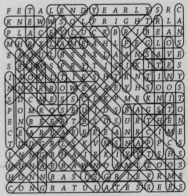

Fear less hope more

Puzzle 113

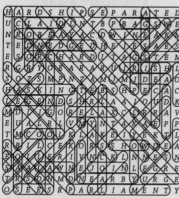

Bravery

Puzzle 114

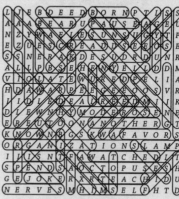

Eternal light

Puzzle 115

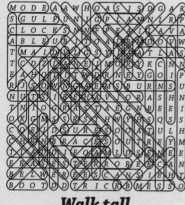

Walk tall

Puzzle 116

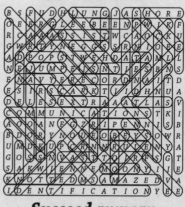

Succeed anyway

Puzzle 117

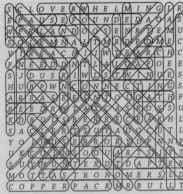

Love what you do

Puzzle 118

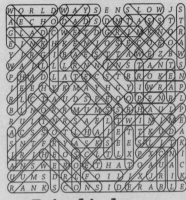

Enjoy big dreams

Puzzle 119

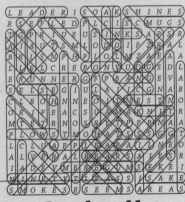

Irreplaceable

Puzzle 120

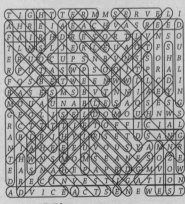

Miss someone

Puzzle 121

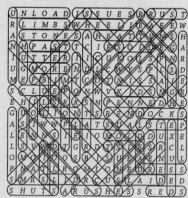

Wise words

Puzzle 122

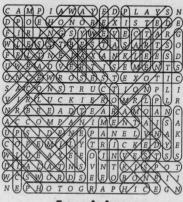

Inspiring

Puzzle 123

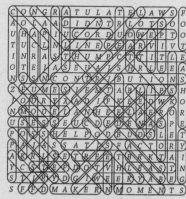

Love is

Puzzle 124

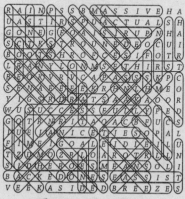

Share your love

Puzzle 125

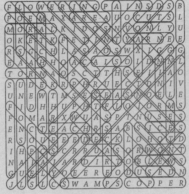

Summer

Puzzle 126

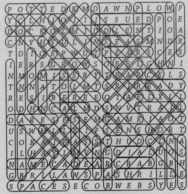

Twinkle